#교과서×사고력
#게임하듯공부해
#스티커게임?리얼공부!

Go! 매쓰
초등 수학

저자 김보미

- 네이버 대표카페 '성공하는 공부방 운영하기' 운영자
- '미래엔', '메가스터디', '천재교육' 교재 기획 및 집필
- 전국 1,000개 이상의 공부방/선생님 컨설팅 및 교육
- 현재 〈GO! 매쓰〉 수학 공부방 운영

Chunjae Makes Chunjae

▼

기획총괄	김안나
편집개발	이근우, 서진호, 최수정, 김혜민
디자인총괄	김희정
표지디자인	윤순미
내지디자인	박희춘, 이혜미
제작	황성진, 조규영

발행일	2021년 1월 15일 2판 2023년 12월 1일 2쇄
발행인	(주)천재교육
주소	서울시 금천구 가산로9길 54
신고번호	제2001-000018호
고객센터	1577-0902
교재 구입 문의	1522-5566

교과서 GO! 사고력 GO!

GO! 매쓰

GO!

Run-C

교과서 사고력

수학 5-1

구성과 특징

1^{주차} 교과 집중 학습

1 교과서 개념 완성

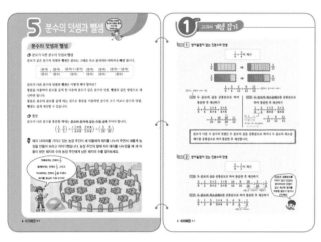

재미있는 수학 이야기로 단원에 대한 흥미를 높이고, 교과서 개념과 기본 문제를 학습합니다.

2 교과서 개념 PLAY

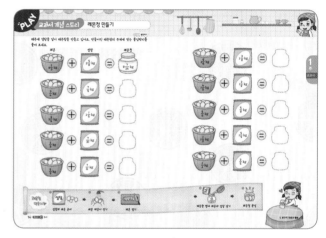

게임으로 개념을 학습하면서 집중력을 높여 쉽게 개념을 익히고 기본을 탄탄하게 만듭니다.

3 문제 풀이로 실력 & 자신감 UP!

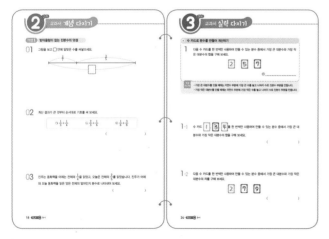

한 단계 더 나아간 교과서와 익힘 문제로 개념을 완성하고, 다양한 문제 유형으로 응용력을 키웁니다.

4 서술형 문제 풀이

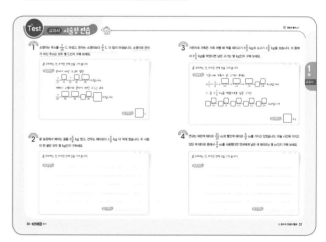

시험에 잘 나오는 서술형 문제 중심으로 단계별로 풀이하는 연습을 하여 서술하는 힘을 높여 줍니다.

2 ^{주차} 사고력 확장 학습

1 사고력 PLAY

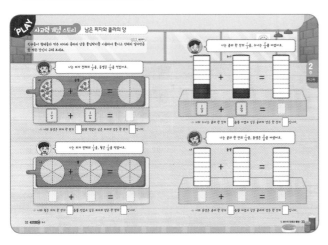

교과 심화 문제와 사고력 문제를 게임으로 쉽게 접근하여 어려운 문제에 대한 거부감을 낮추고 집중력을 높입니다.

2 교과 사고력 잡기

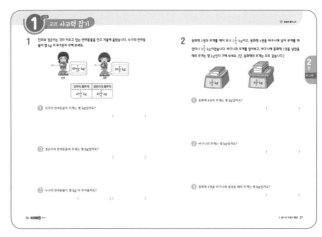

문제에 필요한 요소를 찾아 단계별로 해결하면서 문제 해결력을 키울 수 있는 힘을 기릅니다.

3 교과 사고력 확장 + 완성

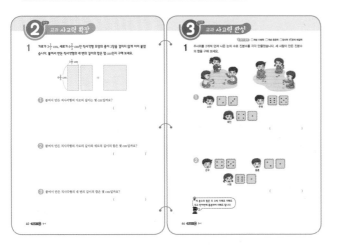

틀에서 벗어난 생각을 하여 문제를 해결하는 창의적 사고력을 기를 수 있는 힘을 기릅니다.

4 종합평가 / 특강

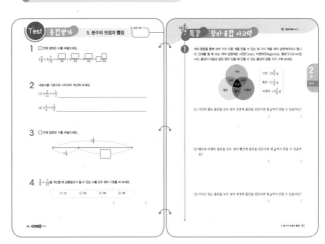

교과 학습과 사고력 학습을 얼마나 잘 이해하였는지 평가하여 배운 내용을 정리합니다.

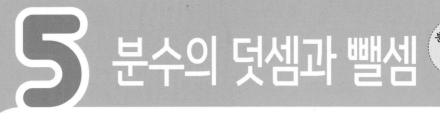

5 분수의 덧셈과 뺄셈

분수의 덧셈과 뺄셈

☆ 분모가 다른 분수의 덧셈과 뺄셈

분모가 같은 분수의 덧셈과 뺄셈은 분모는 그대로 두고 분자끼리 더하거나 빼면 됩니다.

$$\frac{(분자)}{(분모)}+\frac{(분자)}{(분모)}=\frac{(분자)+(분자)}{(분모)} \quad , \quad \frac{(분자)}{(분모)}-\frac{(분자)}{(분모)}=\frac{(분자)-(분자)}{(분모)}$$

분모가 다른 분수의 덧셈과 뺄셈은 어떻게 해야 할까요?

통분을 이용하여 분모를 같게 한 다음에 분모가 같은 분수의 덧셈, 뺄셈과 같은 방법으로 계산하면 됩니다.

통분은 분수의 분모를 같게 하는 것으로 통분을 이용하면 분수의 크기 비교나 분수의 덧셈, 뺄셈도 쉽게 계산할 수 있습니다.

☆ 통분

분모가 다른 분수를 통분할 때에는 분모와 분자에 같은 수를 곱해 주어야 합니다.

$$\left(\frac{1}{4},\frac{2}{5}\right) \Rightarrow \left(\frac{1\times5}{4\times5},\frac{2\times4}{5\times4}\right) \Rightarrow \left(\frac{5}{20},\frac{8}{20}\right)$$

🏮 돼지 18마리를 가지고 있는 농장 주인이 세 아들에게 돼지를 나누어 주면서 새롭게 농장을 만들어 보라고 이야기했습니다. 농장 주인의 말에 따라 돼지를 나누었을 때 세 아들이 받은 돼지의 수와 농장 주인에게 남은 돼지의 수를 알아보세요.

첫째에게는 전체의 $\frac{1}{2}$,

둘째에게는 전체의 $\frac{1}{3}$, 그리고

막내에게는 전체의 $\frac{1}{9}$을 주겠다.

돼지를 열심히 키워 보거라!

농장 주인

세 아들이 각각 받은 돼지를 수에 맞게 붙이고 ☐ 안에 알맞은 수를 써넣으세요.

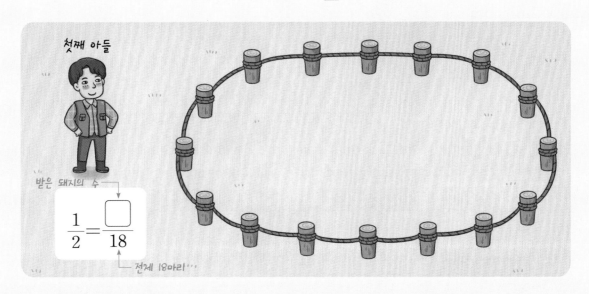

첫째 아들

받은 돼지의 수

$$\frac{1}{2} = \frac{\boxed{}}{18}$$

전체 18마리

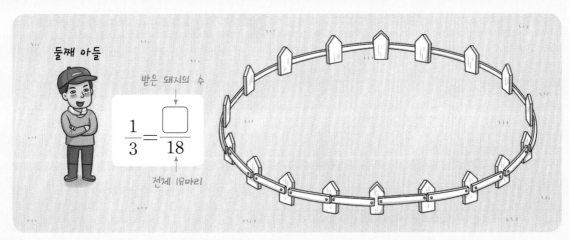

둘째 아들

받은 돼지의 수

$$\frac{1}{3} = \frac{\boxed{}}{18}$$

전체 18마리

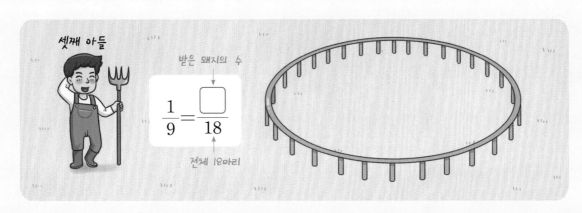

셋째 아들

받은 돼지의 수

$$\frac{1}{9} = \frac{\boxed{}}{18}$$

전체 18마리

$$\frac{1}{2} + \frac{1}{3} + \frac{1}{9} = \frac{\boxed{}}{18} + \frac{\boxed{}}{18} + \frac{\boxed{}}{18} = \frac{\boxed{}}{18}$$

농장 주인이 세 아들에게 준 돼지는 ☐마리이고 남은 돼지는 ☐마리입니다.

개념 1 받아올림이 없는 진분수의 덧셈

$$\frac{1}{6}+\frac{3}{4}의 계산$$

$\frac{1}{6}$ ➡ $\frac{2}{12}$

$\frac{3}{4}$ ➡ $\frac{9}{12}$

$$\frac{1}{6}+\frac{3}{4}=\frac{2}{12}+\frac{9}{12}=\frac{11}{12}$$ ← 통분하고 분자끼리 더하기

통분하는 방법에 따라 구별

방법 1 두 분모의 곱을 공통분모로 하여 통분한 후 계산하기

$$\frac{1}{6}+\frac{3}{4}=\frac{1\times4}{6\times4}+\frac{3\times6}{4\times6}$$
$$=\frac{4}{24}+\frac{18}{24}=\frac{22}{24}=\frac{11}{12}$$

방법 2 두 분모의 최소공배수를 공통분모로 하여 통분한 후 계산하기

$$\frac{1}{6}+\frac{3}{4}=\frac{1\times2}{6\times2}+\frac{3\times3}{4\times3}$$

2) 6 4
3 2

$$=\frac{2}{12}+\frac{9}{12}=\frac{11}{12}$$

➔ 6과 4의 최소공배수:
$2\times3\times2=12$

> 분모가 다른 두 분수의 덧셈은 두 분모의 곱을 공통분모로 하거나 두 분모의 최소공배수를 공통분모로 하여 통분한 후 계산합니다.

개념 2 받아올림이 있는 진분수의 덧셈

$$\frac{5}{8}+\frac{1}{2}의 계산$$

방법 1 두 분모의 곱을 공통분모로 하여 통분한 후 계산하기

$$\frac{5}{8}+\frac{1}{2}=\frac{5\times2}{8\times2}+\frac{1\times8}{2\times8}=\frac{10}{16}+\frac{8}{16}=\frac{18}{16}=1\frac{2}{16}=1\frac{1}{8}$$

대분수로 나타내기 약분하기

방법 2 두 분모의 최소공배수를 공통분모로 하여 통분한 후 계산하기

$$\frac{5}{8}+\frac{1}{2}=\frac{5}{8}+\frac{1\times4}{2\times4}=\frac{5}{8}+\frac{4}{8}=\frac{9}{8}=1\frac{1}{8}$$

대분수로 나타내기

> **방법 1**은 공통분모를 구하기 쉽고 **방법 2**는 분자끼리의 덧셈이 쉽고 계산한 결과를 약분할 필요가 없거나 간단해요.

개념 확인 문제

1-1 $\dfrac{1}{2}+\dfrac{3}{8}$ 을 두 가지 방법으로 계산해 보세요.

① 두 분모의 곱을 공통분모로 하여 통분한 후 계산하기

$$\dfrac{1}{2}+\dfrac{3}{8}=\dfrac{1\times\boxed{}}{2\times 8}+\dfrac{3\times\boxed{}}{8\times\boxed{}}=\dfrac{\boxed{}}{16}+\dfrac{\boxed{}}{\boxed{}}=\dfrac{\boxed{}}{16}=\dfrac{\boxed{}}{\boxed{}}$$

② 두 분모의 최소공배수를 공통분모로 하여 통분한 후 계산하기

$$\dfrac{1}{2}+\dfrac{3}{8}=\dfrac{1\times\boxed{}}{2\times 4}+\dfrac{3}{8}=\dfrac{\boxed{}}{8}+\dfrac{\boxed{}}{8}=\dfrac{\boxed{}}{8}$$

1
주
교과서

1-2 계산해 보세요.

(1) $\dfrac{2}{9}+\dfrac{2}{3}$ 　　　　　　　　(2) $\dfrac{1}{3}+\dfrac{2}{5}$

2-1 ☐ 안에 알맞은 수를 써넣으세요.

(1) $\dfrac{5}{8}+\dfrac{7}{12}=\dfrac{5\times\boxed{}}{8\times 3}+\dfrac{7\times\boxed{}}{12\times 2}=\dfrac{\boxed{}}{24}+\dfrac{\boxed{}}{24}=\dfrac{\boxed{}}{24}=\boxed{}\dfrac{\boxed{}}{24}$

(2) $\dfrac{9}{10}+\dfrac{3}{4}=\dfrac{9\times\boxed{}}{10\times 4}+\dfrac{3\times\boxed{}}{4\times\boxed{}}=\dfrac{\boxed{}}{40}+\dfrac{\boxed{}}{40}=\dfrac{\boxed{}}{40}$

$=\boxed{}\dfrac{\boxed{}}{40}=\boxed{}\dfrac{\boxed{}}{\boxed{}}$

2-2 계산해 보세요.

(1) $\dfrac{7}{8}+\dfrac{5}{16}$ 　　　　　　　　(2) $\dfrac{3}{7}+\dfrac{7}{9}$

개념 **3** 받아올림이 없는 대분수의 덧셈

$$1\frac{1}{3}+2\frac{2}{5}\text{의 계산}$$

방법 1 자연수는 자연수끼리, 분수는 분수끼리 계산하기

$$1\frac{1}{3}+2\frac{2}{5}=1\frac{5}{15}+2\frac{6}{15}=(1+2)+\left(\frac{5}{15}+\frac{6}{15}\right)=3+\frac{11}{15}=3\frac{11}{15}$$
통분하기

방법 2 대분수를 가분수로 나타내어 계산하기

$$1\frac{1}{3}+2\frac{2}{5}=\frac{4}{3}+\frac{12}{5}=\frac{20}{15}+\frac{36}{15}=\frac{56}{15}=3\frac{11}{15}$$
가분수로 나타내기   통분하기

계산 결과는 대분수로 나타내요.

$$1\frac{1}{3}=1+\frac{1}{3}=\frac{3}{3}+\frac{1}{3}=\frac{4}{3}$$
$$2\frac{2}{5}=2+\frac{2}{5}=\frac{10}{5}+\frac{2}{5}=\frac{12}{5}$$

개념 **4** 받아올림이 있는 대분수의 덧셈

$$1\frac{1}{2}+1\frac{4}{5}\text{의 계산}$$

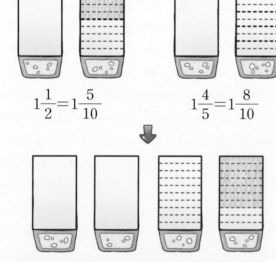

$$1\frac{1}{2}=1\frac{5}{10}\qquad 1\frac{4}{5}=1\frac{8}{10}$$

방법 1 자연수는 자연수끼리, 분수는 분수끼리 계산하기

$$1\frac{1}{2}+1\frac{4}{5}=1\frac{5}{10}+1\frac{8}{10}$$
통분하기
$$=(1+1)+\left(\frac{5}{10}+\frac{8}{10}\right)$$
$$=2+\frac{13}{10}=2+1\frac{3}{10}$$
$$=3\frac{3}{10}$$

방법 2 대분수를 가분수로 나타내어 계산하기

$$1\frac{1}{2}+1\frac{4}{5}=\frac{3}{2}+\frac{9}{5}=\frac{15}{10}+\frac{18}{10}=\frac{33}{10}=3\frac{3}{10}$$
통분하기   대분수로 나타내기

방법 1 은 분수 부분의 계산이 편리하고 방법 2 는 자연수 부분과 분수 부분을 따로 떼어 계산하지 않아도 돼요.

개념 확인 문제

3-1 $1\dfrac{2}{3}+3\dfrac{1}{4}$ 을 두 가지 방법으로 계산해 보세요.

① 자연수는 자연수끼리, 분수는 분수끼리 계산하기

$$1\frac{2}{3}+3\frac{1}{4}=1\frac{\boxed{}}{12}+3\frac{\boxed{}}{12}=(1+3)+\left(\frac{\boxed{}}{12}+\frac{\boxed{}}{12}\right)=\boxed{}+\frac{\boxed{}}{12}=\boxed{}\frac{\boxed{}}{12}$$

② 대분수를 가분수로 나타내어 계산하기

$$1\frac{2}{3}+3\frac{1}{4}=\frac{\boxed{}}{3}+\frac{\boxed{}}{4}=\frac{\boxed{}}{12}+\frac{\boxed{}}{12}=\frac{\boxed{}}{12}=\boxed{}\frac{\boxed{}}{12}$$

4-1 계산해 보세요.

(1) $1\dfrac{3}{5}+4\dfrac{9}{20}$

(2) $3\dfrac{3}{4}+1\dfrac{7}{12}$

4-2 두 수의 합을 구해 보세요.

$$2\frac{6}{7} \qquad 2\frac{13}{21}$$

(   )

개념 5 진분수의 뺄셈

$$\frac{2}{3}-\frac{2}{9}\text{의 계산}$$

$\dfrac{2}{3}$ [막대 그림] → $\dfrac{6}{9}$

$\dfrac{2}{9}$ [막대 그림]

$$\frac{2}{3}-\frac{2}{9}=\frac{6}{9}-\frac{2}{9}=\frac{4}{9}$$
통분하고 분자끼리 빼기

방법 1 두 분모의 곱을 공통분모로 하여 통분한 후 계산하기

$$\frac{2}{3}-\frac{2}{9}=\frac{2\times9}{3\times9}-\frac{2\times3}{9\times3}$$
$$=\frac{18}{27}-\frac{6}{27}=\frac{\overset{4}{\cancel{12}}}{\underset{9}{\cancel{27}}}=\frac{4}{9}$$

방법 2 두 분모의 최소공배수를 공통분모로 하여 통분한 후 계산하기

$$\frac{2}{3}-\frac{2}{9}=\frac{2\times3}{3\times3}-\frac{2}{9}$$
$$=\frac{6}{9}-\frac{2}{9}=\frac{4}{9}$$

개념 6 받아내림이 없는 대분수의 뺄셈

$$2\frac{3}{4}-1\frac{1}{3}\text{의 계산}$$

$2\frac{3}{4}$ [그림] → $2\frac{9}{12}$ $1\frac{1}{3}$ [그림] → $1\frac{4}{12}$

$$2\frac{3}{4}-1\frac{1}{3}=2\frac{9}{12}-1\frac{4}{12}=1\frac{5}{12}$$

방법 1 자연수는 자연수끼리, 분수는 분수끼리 계산하기

$$2\frac{3}{4}-1\frac{1}{3}=2\frac{9}{12}-1\frac{4}{12}=(2-1)+\left(\frac{9}{12}-\frac{4}{12}\right)=1+\frac{5}{12}=1\frac{5}{12}$$

방법 2 대분수를 가분수로 나타내어 계산하기

$$2\frac{3}{4}-1\frac{1}{3}=\frac{11}{4}-\frac{4}{3}=\frac{33}{12}-\frac{16}{12}=\frac{17}{12}=1\frac{5}{12}$$

개념 확인 문제

5-1 그림을 보고 □ 안에 알맞은 수를 써넣으세요.

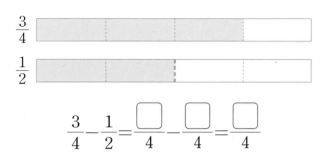

$$\frac{3}{4} - \frac{1}{2} = \frac{\square}{4} - \frac{\square}{4} = \frac{\square}{4}$$

5-2 계산해 보세요.

(1) $\frac{5}{7} - \frac{1}{6}$

(2) $\frac{11}{15} - \frac{4}{9}$

6-1 □ 안에 알맞은 수를 써넣으세요.

$$4\frac{2}{3} - 1\frac{4}{7} = 4\frac{\square}{21} - 1\frac{\square}{\square} = (4 - \square) + \left(\frac{\square}{21} - \frac{\square}{21}\right)$$

$$= \square + \frac{\square}{21} = \square\frac{\square}{21}$$

자연수는 자연수끼리, 분수는 분수끼리 빼서 계산해요.

6-2 $8\frac{7}{10}$ L의 물이 들어 있는 통에서 물을 $4\frac{1}{5}$ L 뺐습니다. 남은 물은 몇 L인지 빈 곳에 써넣으세요.

개념 **7** 받아내림이 있는 대분수의 뺄셈

$$2\frac{1}{2}-1\frac{2}{3}\text{의 계산}$$

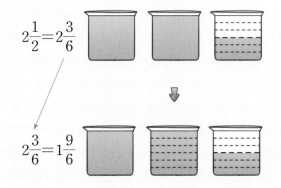

$$2\frac{1}{2}=2\frac{3}{6} \qquad 1\frac{2}{3}=1\frac{4}{6}$$

$$2\frac{3}{6}=1\frac{9}{6} \qquad\qquad 2\frac{1}{2}-1\frac{2}{3}=1\frac{9}{6}-1\frac{4}{6}=\frac{5}{6}$$

방법1 자연수는 자연수끼리, 분수는 분수끼리 계산하기

$$2\frac{1}{2}-1\frac{2}{3}=2\frac{3}{6}-1\frac{4}{6}=1\frac{9}{6}-1\frac{4}{6}=(1-1)+\left(\frac{9}{6}-\frac{4}{6}\right)=\frac{5}{6}$$

자연수 부분의 1만큼을 1과 크기가 같은 분수로 만들기
$$2\frac{3}{6}=1+\frac{6}{6}+\frac{3}{6}=1\frac{9}{6}$$

$2\frac{3}{6}$은 $1\frac{9}{6}$와 같아요.

방법2 대분수를 가분수로 나타내어 계산하기

$$2\frac{1}{2}-1\frac{2}{3}=\frac{5}{2}-\frac{5}{3}=\frac{15}{6}-\frac{10}{6}=\frac{5}{6}$$

개념 **8** 자연수와 대분수의 뺄셈

$$2-1\frac{1}{6}\text{의 계산}$$

방법1 자연수에서 1만큼을 1과 크기가 같은 분수로 만들어 계산하기

$$2-1\frac{1}{6}=1\frac{6}{6}-1\frac{1}{6}$$
$$=(1-1)+\left(\frac{6}{6}-\frac{1}{6}\right)=\frac{5}{6}$$

방법2 가분수로 나타내어 계산하기

$$2-1\frac{1}{6}=\frac{12}{6}-\frac{7}{6}=\frac{5}{6}$$

개념 확인 문제

7-1 ☐ 안에 알맞은 수를 써넣으세요.

$$4\frac{1}{4}-2\frac{7}{9}=4\frac{\boxed{}}{36}-2\frac{\boxed{}}{36}=3\frac{\boxed{}}{36}-2\frac{\boxed{}}{36}$$

$$=(3-2)+\left(\frac{\boxed{}}{36}-\frac{\boxed{}}{36}\right)=1+\frac{\boxed{}}{36}=\boxed{}\frac{\boxed{}}{\boxed{}}$$

7-2 보기 와 같이 계산해 보세요.

가분수로 나타내고
통분하여 계산했어요.

> **보기**
>
> $$4\frac{1}{5}-1\frac{2}{3}=\frac{21}{5}-\frac{5}{3}=\frac{63}{15}-\frac{25}{15}=\frac{38}{15}=2\frac{8}{15}$$

$$5\frac{1}{6}-3\frac{4}{5}\underline{\hspace{10cm}}$$

7-3 계산해 보세요.

(1) $3\frac{1}{3}-1\frac{3}{7}$

(2) $3\frac{5}{8}-2\frac{2}{3}$

8-1 두 수의 차를 구해 보세요.

$$5 \qquad 2\frac{2}{9}$$

(   )

준비물 ▶ 붙임딱지

레몬에 설탕을 넣어 레몬청을 만들고 있어요. 만들어진 레몬청의 무게에 맞는 붙임딱지를 붙여 보세요.

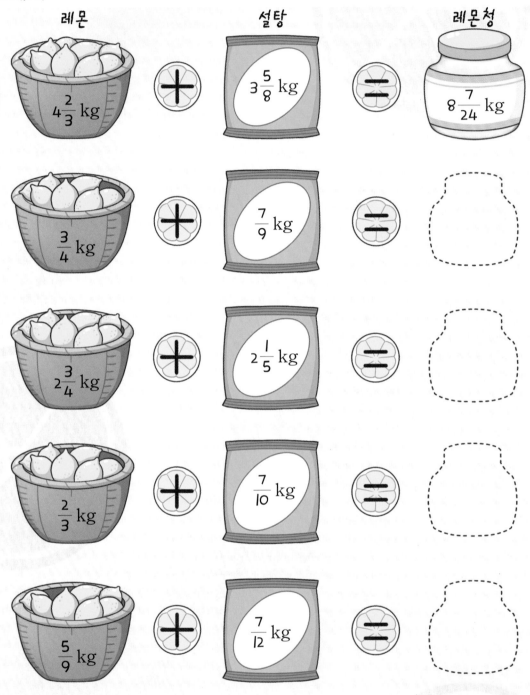

레몬   설탕   레몬청

$4\frac{2}{3}$ kg $+$ $3\frac{5}{8}$ kg $=$ $8\frac{7}{24}$ kg

$\frac{3}{4}$ kg $+$ $\frac{7}{9}$ kg $=$

$2\frac{3}{4}$ kg $+$ $2\frac{1}{5}$ kg $=$

$\frac{2}{3}$ kg $+$ $\frac{7}{10}$ kg $=$

$\frac{5}{9}$ kg $+$ $\frac{7}{12}$ kg $=$

레몬청 만들기♥

  ① 설탕과 레몬 준비

  ② 레몬 깨끗이 씻기

  ③ 레몬 썰기

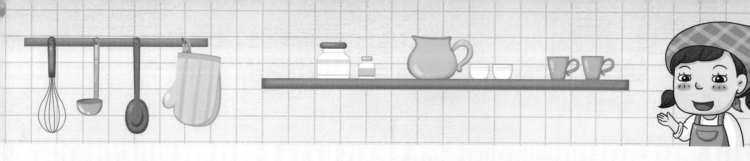

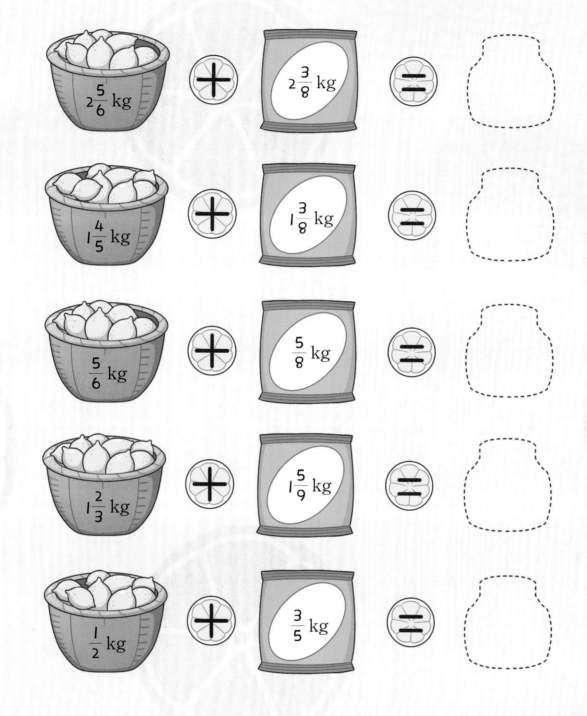

$2\frac{5}{6}$ kg $+$ $2\frac{3}{8}$ kg $=$

$1\frac{4}{5}$ kg $+$ $1\frac{3}{8}$ kg $=$

$\frac{5}{6}$ kg $+$ $\frac{5}{8}$ kg $=$

$1\frac{2}{3}$ kg $+$ $1\frac{5}{9}$ kg $=$

$\frac{1}{2}$ kg $+$ $\frac{3}{5}$ kg $=$

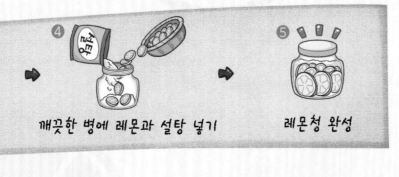

④ 깨끗한 병에 레몬과 설탕 넣기   ⑤ 레몬청 완성

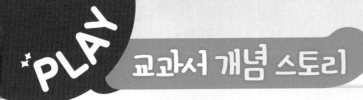

교과서 개념 스토리 **다리 완성하기**

준비물 붙임딱지

기차가 강을 건널 수 있게 다리를 놓아 주세요. 알맞은 길이의 다리 붙임딱지를 찾아 붙여 주세요.

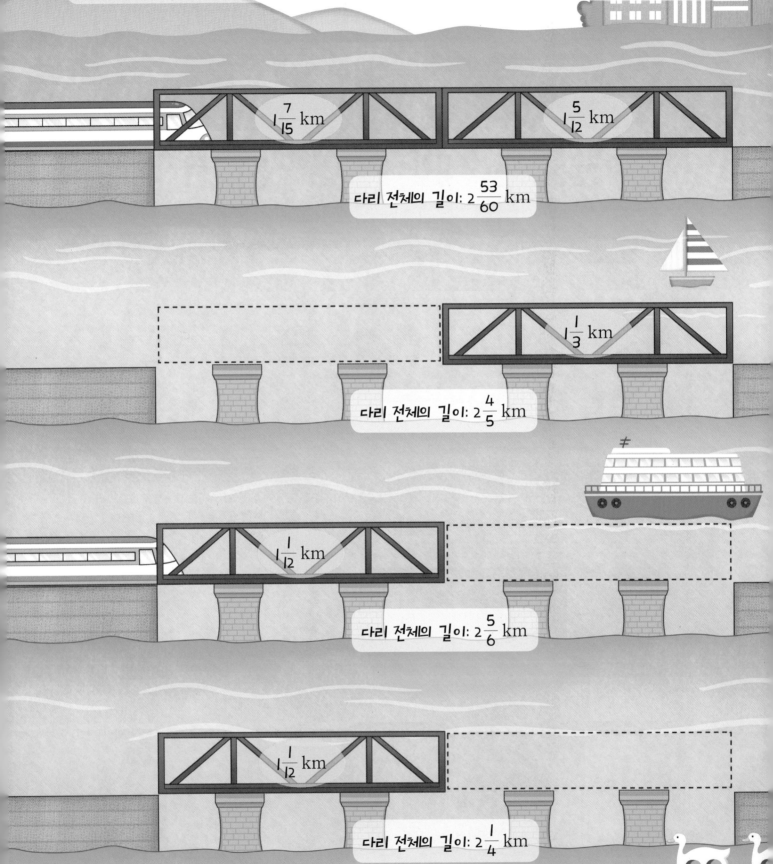

$1\frac{7}{15}$ km $1\frac{5}{12}$ km

다리 전체의 길이: $2\frac{53}{60}$ km

$1\frac{1}{3}$ km

다리 전체의 길이: $2\frac{4}{5}$ km

$1\frac{1}{12}$ km

다리 전체의 길이: $2\frac{5}{6}$ km

$1\frac{1}{12}$ km

다리 전체의 길이: $2\frac{1}{4}$ km

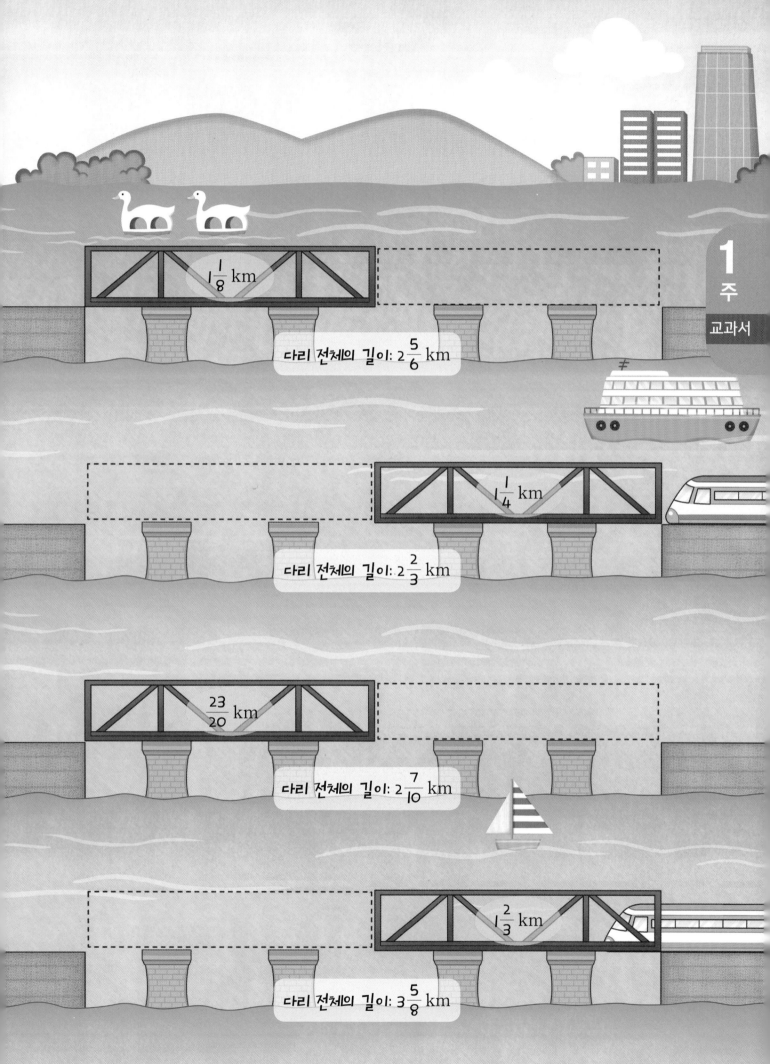

$1\frac{1}{8}$ km

다리 전체의 길이: $2\frac{5}{6}$ km

$1\frac{1}{4}$ km

다리 전체의 길이: $2\frac{2}{3}$ km

$\frac{23}{20}$ km

다리 전체의 길이: $2\frac{7}{10}$ km

$1\frac{2}{3}$ km

다리 전체의 길이: $3\frac{5}{8}$ km

개념 1 받아올림이 없는 진분수의 덧셈

01 그림을 보고 ☐ 안에 알맞은 수를 써넣으세요.

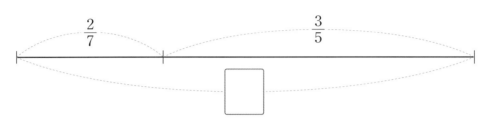

02 계산 결과가 큰 것부터 순서대로 기호를 써 보세요.

㉠ $\dfrac{1}{3}+\dfrac{1}{4}$ ㉡ $\dfrac{2}{3}+\dfrac{1}{6}$ ㉢ $\dfrac{1}{6}+\dfrac{3}{8}$

(   )

03 진주는 동화책을 어제는 전체의 $\dfrac{1}{4}$을 읽었고, 오늘은 전체의 $\dfrac{2}{5}$를 읽었습니다. 진주가 어제와 오늘 동화책을 읽은 양은 전체의 얼마인지 분수로 나타내어 보세요.

(   )

개념 2 **받아올림이 있는 진분수의 덧셈**

04 두 끈의 길이의 합은 몇 m일까요?

$\dfrac{7}{8}$ m

$\dfrac{5}{6}$ m

(   )

05 계산이 잘못된 곳을 찾아 ○표 하고 바르게 계산해 보세요.

$$\frac{2}{3}+\frac{4}{7}=\frac{14}{21}+\frac{12}{21}=\frac{26}{42}$$

→

06 관계있는 것끼리 선으로 이어 보세요.

$\dfrac{5}{6}+\dfrac{7}{9}$ •

$\dfrac{7}{10}+\dfrac{8}{15}$ •

$\dfrac{3}{4}+\dfrac{5}{8}$ •

• $1\dfrac{3}{8}$

• $1\dfrac{11}{18}$

• $1\dfrac{7}{30}$

개념 3 받아올림이 있는 대분수의 덧셈

07 직사각형의 가로와 세로의 합은 몇 m인지 구해 보세요.

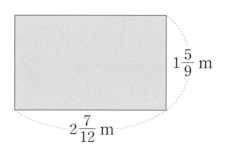

$1\frac{5}{9}$ m

$2\frac{7}{12}$ m

(   )

08 다음 분수 중에서 가장 큰 수와 두 번째로 큰 수의 합을 구해 보세요.

$$2\frac{13}{21} \qquad 3\frac{6}{7} \qquad 1\frac{4}{5}$$

(   )

09 ☐ 안에 알맞은 수를 구해 보세요.

$$\square - 1\frac{3}{4} = 2\frac{3}{10}$$

(   )

개념 4 **진분수의 뺄셈**

10 $\frac{1}{2}$과 $\frac{1}{3}$을 각각 그림에 색칠하고 $\frac{1}{2}-\frac{1}{3}$을 계산해 보세요.

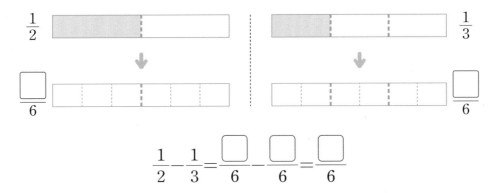

$$\frac{1}{2}-\frac{1}{3}=\frac{\square}{6}-\frac{\square}{6}=\frac{\square}{6}$$

11 두 수의 차를 구해 보세요.

$$\frac{5}{11} \qquad \frac{4}{7}$$

( )

12 $\frac{5}{6}$보다 $\frac{3}{8}$만큼 더 작은 수를 구해 보세요.

( )

13 딸기를 영호는 $\frac{7}{12}$ kg, 가은이는 $\frac{3}{8}$ kg 땄습니다. 영호는 가은이보다 딸기를 몇 kg 더 땄습니까?

( )

개념**5** 받아내림이 없는 대분수의 뺄셈

14 승호가 가지고 있는 재활용 종이 $5\frac{2}{9}$ kg 중에서 $2\frac{1}{6}$ kg을 팔았다면 승호에게 남은 재활용 종이는 몇 kg일까요?

(   )

15 빈 곳에 알맞은 수를 써넣으세요.

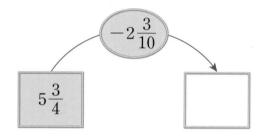

16 혜미네 동네에는 서점이 2개 있습니다. 혜미네 집에서 어느 서점이 몇 km 더 가까울까요?

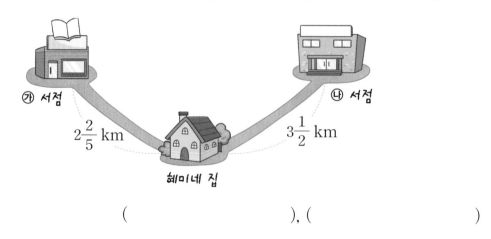

(   ), (   )

개념6 받아내림이 있는 대분수의 뺄셈

17 계산 결과를 비교하여 ○ 안에 >, =, <를 알맞게 써넣으세요.

$$5\frac{7}{10} - 2\frac{4}{5} \bigcirc 5\frac{1}{4} - 2\frac{3}{10}$$

18 $3\frac{1}{2} - 1\frac{4}{5}$를 두 가지 방법으로 계산해 보세요.

방법 1 자연수는 자연수끼리, 분수는 분수끼리 계산하기

$$3\frac{1}{2} - 1\frac{4}{5}$$ _____

_____

방법 2 대분수를 가분수로 나타내어 계산하기

$$3\frac{1}{2} - 1\frac{4}{5}$$ _____

_____

19 어떤 수에 $2\frac{8}{9}$을 더했더니 $6\frac{7}{12}$이 되었습니다. 어떤 수를 구해 보세요.

(   )

20 가장 긴 변은 가장 짧은 변보다 몇 cm 더 길까요?

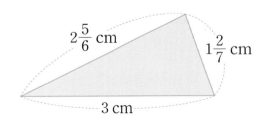

$2\frac{5}{6}$ cm $1\frac{2}{7}$ cm

3 cm

(   )

★ **수 카드로 분수를 만들어 계산하기**

1 다음 수 카드를 한 번씩만 사용하여 만들 수 있는 분수 중에서 가장 큰 대분수와 가장 작은 대분수의 합을 구해 보세요.

답 _____

개념
피드백
• 가장 큰 대분수를 만들 때에는 자연수 부분에 가장 큰 수를 놓고 나머지 수로 진분수 부분을 만듭니다.
• 가장 작은 대분수를 만들 때에는 자연수 부분에 가장 작은 수를 놓고 나머지 수로 진분수 부분을 만듭니다.

1-1 수 카드 $\boxed{1}$, $\boxed{3}$, $\boxed{4}$ 를 한 번씩만 사용하여 만들 수 있는 분수 중에서 가장 큰 대분수와 가장 작은 대분수의 합을 구해 보세요.

(   )

1-2 다음 수 카드를 한 번씩만 사용하여 만들 수 있는 분수 중에서 가장 큰 대분수와 가장 작은 대분수의 차를 구해 보세요.

$\boxed{2}$ $\boxed{7}$ $\boxed{9}$

(   )

★ 바르게 계산한 값 구하기

2 어떤 수에서 $1\frac{3}{7}$을 빼야 할 것을 잘못하여 더했더니 $4\frac{2}{3}$가 되었습니다. 바르게 계산한 값을 구해 보세요.

답 _____

1 주 교과서

> **개념 피드백**
> • 바르게 계산한 값 구하는 방법
> ① 어떤 수를 □로 놓고 잘못 계산하여 결과가 나온 식을 세웁니다.
> ② 어떤 수를 구합니다.
> ③ 바르게 계산한 값을 구합니다.

2-1 어떤 수에 $2\frac{5}{8}$를 더해야 할 것을 잘못하여 뺐더니 $1\frac{7}{12}$이 되었습니다. 바르게 계산한 값을 구해 보세요.

(   )

2-2 어떤 수에서 $1\frac{3}{4}$을 빼야 할 것을 잘못하여 더했더니 $4\frac{5}{7}$가 되었습니다. 바르게 계산한 값을 구해 보세요.

(   )

★ □ 안에 들어갈 수 있는 자연수 구하기

3 □ 안에 들어갈 수 있는 자연수 중 가장 큰 수를 구해 보세요.

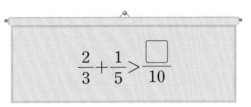

$$\frac{2}{3}+\frac{1}{5}>\frac{\square}{10}$$

답 _____

개념 피드백

• □ 안에 들어갈 수 있는 자연수 구하는 방법
　① 분수의 계산을 합니다.
　② 통분하고 분자의 크기를 비교합니다.

3-1 □ 안에 들어갈 수 있는 자연수를 모두 구해 보세요.

$$\frac{5}{12}+1\frac{1}{4}>\frac{\square}{3}$$

(　　　　　　　　　　　　)

3-2 □ 안에 들어갈 수 있는 자연수를 모두 구해 보세요.

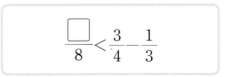

$$\frac{\square}{8}<\frac{3}{4}-\frac{1}{3}$$

(　　　　　　　　　　　　)

★ 조건에 맞는 식을 만들어 계산하기

4 합이 가장 큰 두 분수를 골라 덧셈식을 만들고 계산해 보세요.

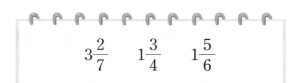

$$3\frac{2}{7} \qquad 1\frac{3}{4} \qquad 1\frac{5}{6}$$

식 □□/□ + □□/□   답 □□/□

개념 피드백
· 합이 가장 크려면 가장 큰 수와 두 번째로 큰 수를 더해야 합니다.
· 차가 가장 크려면 가장 큰 수에서 가장 작은 수를 빼야 합니다.

4-1 차가 가장 큰 두 분수를 골라 뺄셈식을 만들고 계산해 보세요.

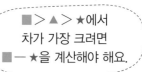
■ > ▲ > ★에서
차가 가장 크려면
■ − ★을 계산해야 해요.

$$4\frac{5}{8} \qquad 2\frac{7}{12} \qquad 2\frac{2}{9}$$

식 □□/□ − □□/□   답 □□/□

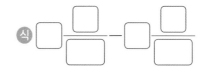

4-2 합이 가장 큰 두 분수를 골라 덧셈식을 만들고 계산해 보세요.

$$1\frac{4}{5} \qquad 2\frac{2}{15} \qquad 1\frac{7}{9}$$

식 □□/□ + □□/□   답 □□/□

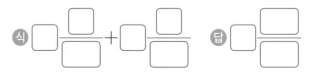

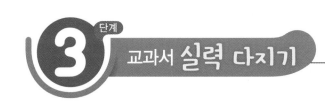

★ 분수의 덧셈과 뺄셈을 이용하여 시간 계산하기

5 영지는 $2\frac{1}{2}$시간 동안 수학 공부를 하고, 1시간 20분 동안 과학 공부를 하였습니다. 영지가 공부한 시간은 모두 몇 시간인지 구해 보세요.

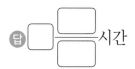

> **개념 피드백**
>
> 1분$=\frac{1}{60}$시간임을 이용하여 ●시간 ■분을 ●$\frac{■}{60}$시간으로 나타낼 수 있습니다.
>
> 1시간 20분 ➡ 1시간$+\frac{20}{60}$시간$=1\frac{20}{60}$시간

5-1 현장 학습장에 가는 데 윤주는 1시간 50분, 동현이는 $1\frac{7}{8}$시간이 걸렸습니다. 현장 학습장에 가는 데 누가 몇 시간 더 오래 걸렸을까요?

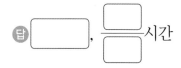

5-2 가은이는 할머니 댁에 가기 위해 2시간 15분 동안 버스를 타고 $1\frac{2}{5}$시간 동안 기차를 탔습니다. 가은이가 할머니 댁에 가는 데 버스와 기차를 타고 간 시간은 모두 몇 시간일까요?

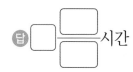

★ **주어진 분수를 단위분수의 합으로 나타내기**

6 $\dfrac{8}{15}$을 서로 다른 두 단위분수의 합으로 나타내어 보세요. (단, 단위분수의 분모는 15보다 작습니다.)

$$\frac{8}{15} = \frac{1}{\boxed{}} + \frac{1}{\boxed{}}$$

개념 피드백

• $\dfrac{\blacktriangle}{\blacksquare}$를 단위분수의 합으로 나타내기

① 분모(■)의 약수 중에서 합이 분자(▲)와 같은 두 수를 찾아봅니다.

이 두 수를 ㉠, ㉡이라고 하면 $\dfrac{\blacktriangle}{\blacksquare} = \dfrac{㉠}{\blacksquare} + \dfrac{㉡}{\blacksquare}$으로 나타낼 수 있습니다.

② $\dfrac{㉠}{\blacksquare}$과 $\dfrac{㉡}{\blacksquare}$을 약분하여 단위분수로 나타냅니다.

6-1 $\dfrac{3}{8}$을 분모가 서로 다른 두 단위분수의 합으로 나타내려고 합니다. ☐ 안에 알맞은 수를 써넣으세요. (단, 단위분수의 분모는 10보다 작습니다.)

$$\frac{3}{8} = \frac{1}{\boxed{}} + \frac{1}{\boxed{}}$$

6-2 $\dfrac{11}{28}$을 분모가 서로 다른 두 단위분수의 합으로 나타내려고 합니다. ☐ 안에 알맞은 수를 써넣으세요. (단, 단위분수의 분모는 28보다 작습니다.)

$$\frac{11}{28} = \frac{\boxed{}}{\boxed{}} + \frac{\boxed{}}{\boxed{}}$$

1 소영이는 주스를 $\dfrac{7}{15}$ L 마셨고, 은아는 소영이보다 $\dfrac{2}{5}$ L 더 많이 마셨습니다. 소영이와 은아가 마신 주스는 모두 몇 L인지 구해 보세요.

✏ 구하려는 것, 주어진 것에 선을 그어 봅니다.

해결하기 은아가 마신 주스의 양은

$$\dfrac{7}{15} + \dfrac{\boxed{}}{5} = \dfrac{7}{15} + \dfrac{\boxed{}}{15} = \dfrac{\boxed{}}{15}\text{(L)입니다.}$$

따라서 소영이와 은아가 마신 주스는 모두

$$\dfrac{7}{15} + \dfrac{\boxed{}}{15} = \dfrac{\boxed{}}{15} = \boxed{}\dfrac{\boxed{}}{15} = \boxed{}\text{(L)입니다.}$$

답 구하기 $\boxed{}$ L

2 귤 농장에서 혜미는 귤을 $2\dfrac{5}{6}$ kg 땄고, 건우는 혜미보다 $1\dfrac{2}{9}$ kg 더 적게 땄습니다. 두 사람이 딴 귤은 모두 몇 kg인지 구하세요.

✏ 구하려는 것, 주어진 것에 선을 그어 봅니다.

해결하기

답 구하기 _____

3 가은이네 가족은 가족 여행 때 먹을 돼지고기 $3\frac{2}{3}$ kg과 소고기 $1\frac{5}{8}$ kg을 샀습니다. 이 중에서 $2\frac{1}{4}$ kg을 먹었다면 남은 고기는 몇 kg인지 구해 보세요.

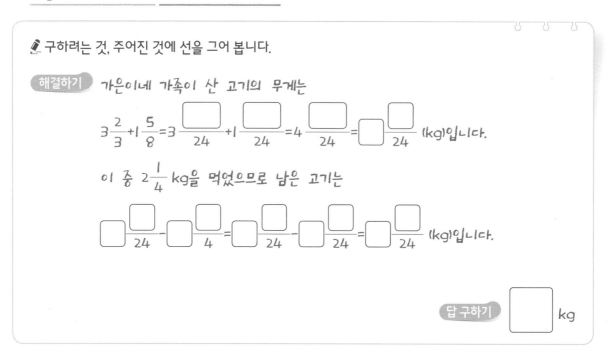

✎ 구하려는 것, 주어진 것에 선을 그어 봅니다.

해결하기 가은이네 가족이 산 고기의 무게는

$$3\frac{2}{3}+1\frac{5}{8}=3\frac{\boxed{}}{24}+1\frac{\boxed{}}{24}=4\frac{\boxed{}}{24}=\boxed{}\frac{\boxed{}}{24}\ \text{(kg)입니다.}$$

이 중 $2\frac{1}{4}$ kg을 먹었으므로 남은 고기는

$$\boxed{}\frac{\boxed{}}{24}-\boxed{}\frac{\boxed{}}{4}=\boxed{}\frac{\boxed{}}{24}-\boxed{}\frac{\boxed{}}{24}=\boxed{}\frac{\boxed{}}{24}\ \text{(kg)입니다.}$$

답 구하기 $\boxed{}$ kg

4 연규는 파란색 테이프 $\frac{11}{12}$ m와 빨간색 테이프 $\frac{5}{9}$ m를 가지고 있었습니다. 미술 시간에 가지고 있던 색 테이프 중에서 $\frac{3}{4}$ m를 사용했다면 연규에게 남은 색 테이프는 몇 m인지 구해 보세요.

✎ 구하려는 것, 주어진 것에 선을 그어 봅니다.

해결하기

답 구하기

사고력 개념 스토리 남은 피자와 콜라의 양

준비물 붙임딱지

친구들이 형제들과 먹은 피자와 콜라의 양을 붙임딱지를 이용하여 붙이고 전체의 얼마만큼을 먹은 것인지 구해 보세요.

나는 피자 전체의 $\frac{1}{2}$을, 동생은 $\frac{1}{4}$을 먹었어요.

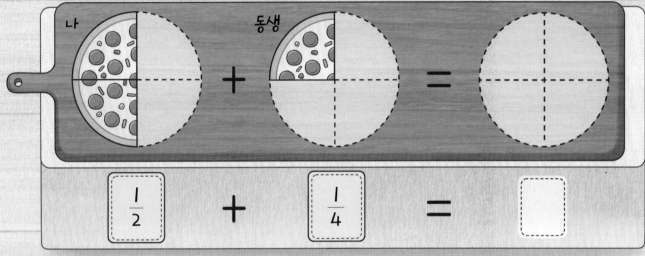

$$\frac{1}{2} \quad + \quad \frac{1}{4} \quad = \quad \boxed{}$$

➡ 나와 동생은 피자 한 판의 ☐ 을/를 먹었고 남은 피자의 양은 한 판의 ☐ 입니다.

나는 피자 전체의 $\frac{1}{3}$을, 형은 $\frac{1}{6}$을 먹었어요.

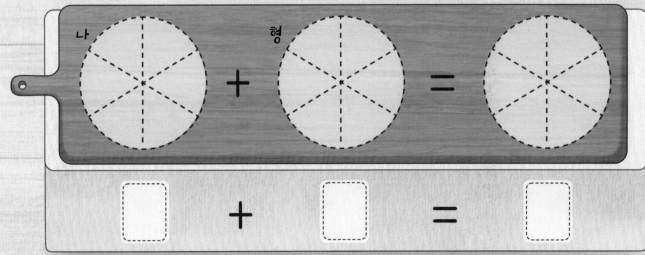

$$\boxed{} \quad + \quad \boxed{} \quad = \quad \boxed{}$$

➡ 나와 형은 피자 한 판의 ☐ 을/를 먹었고 남은 피자의 양은 한 판의 ☐ 입니다.

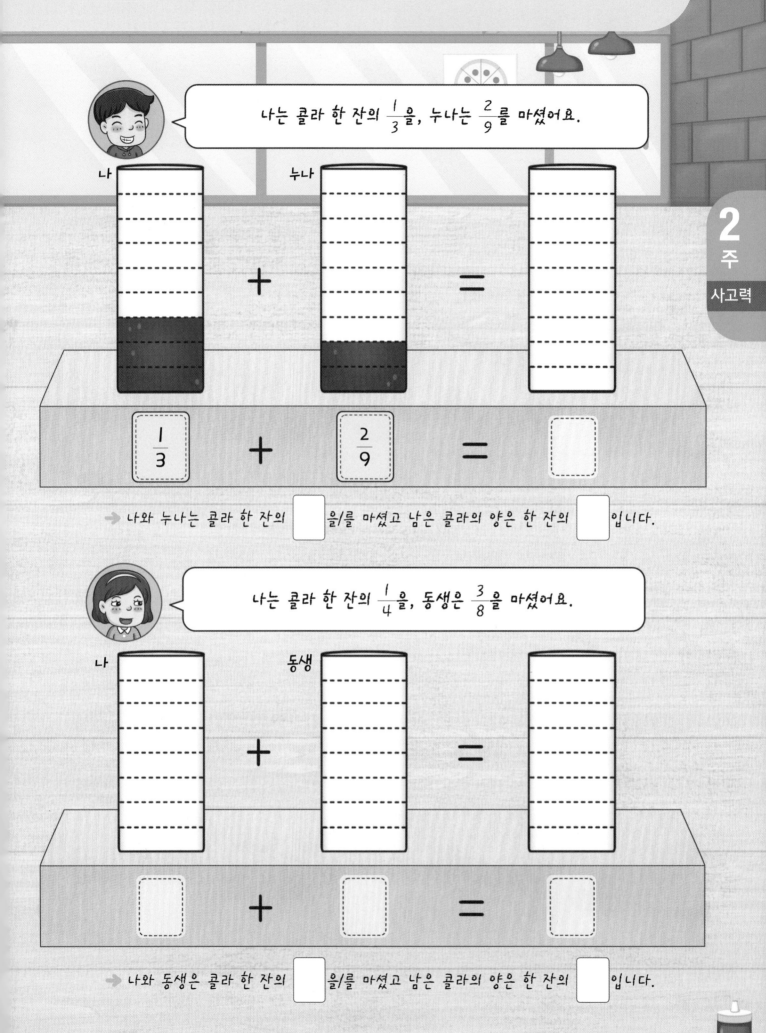

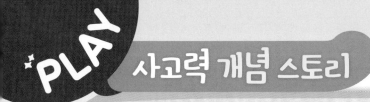
준비물 붙임딱지

부러진 낚싯대를 겹쳐서 묶으려고 합니다. 겹친 부분과 길이가 같은 붙임딱지를 붙여야 낚싯대가 단단히 고정된다고 합니다. 알맞은 붙임딱지를 찾아 붙여 보세요.

낚싯대의 길이는 $3\frac{23}{35}$ m예요.

$2\frac{2}{5}$ m $1\frac{1}{7}$ m $2\frac{2}{5}$ m

낚싯대의 길이가 $3\frac{2}{5}$ m가 되었어요.

$1\frac{3}{4}$ m $1\frac{17}{20}$ m

낚싯대의 길이가 $3\frac{3}{4}$ m가 됐네요.

$2\frac{1}{4}$ m $2\frac{3}{10}$ m

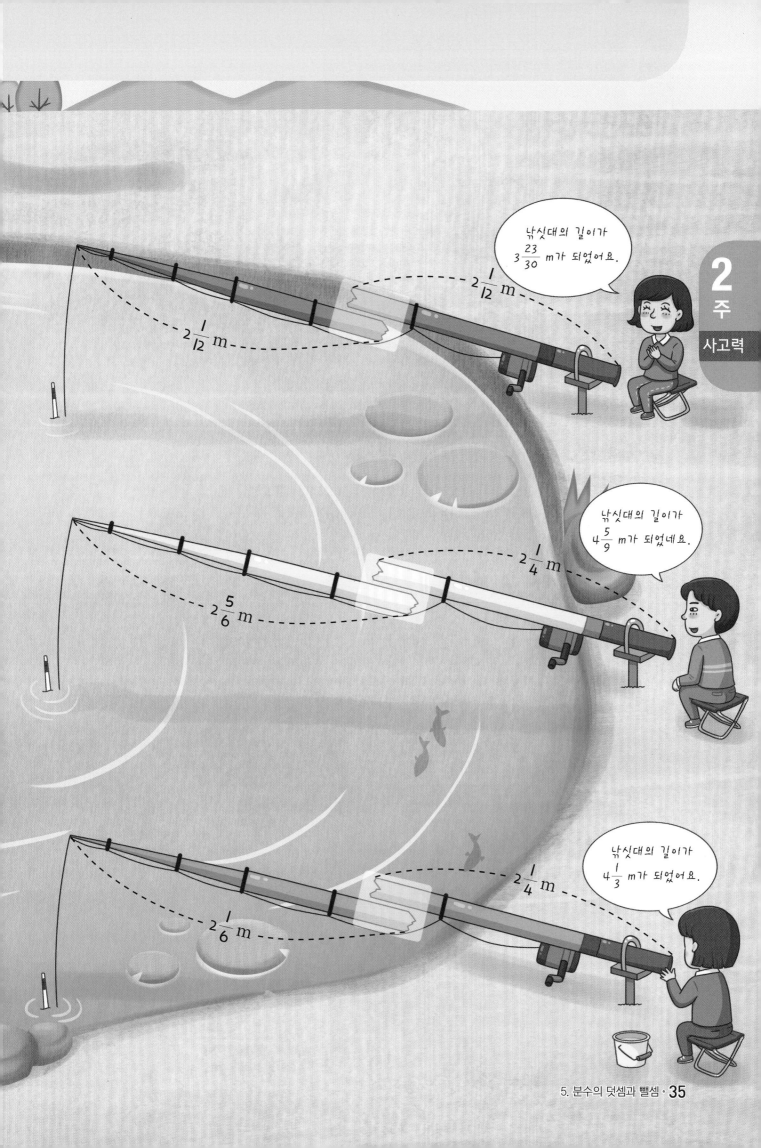

1 진주와 경은이는 각자 키우고 있는 반려동물을 안고 저울에 올랐습니다. 누구의 반려동물이 몇 kg 더 무거운지 구해 보세요.

진주의 몸무게	경은이의 몸무게
$45\frac{1}{2}$ kg	$46\frac{5}{6}$ kg

❶ 진주의 반려동물의 무게는 몇 kg일까요?

( )

❷ 경은이의 반려동물의 무게는 몇 kg일까요?

( )

❸ 누구의 반려동물이 몇 kg 더 무거울까요?

( ), ( )

2 동화책 2권의 무게를 재어 보니 $1\frac{2}{5}$ kg이고, 동화책 4권을 바구니에 넣어 무게를 재었더니 $3\frac{5}{7}$ kg이었습니다. 바구니의 무게를 알아보고, 바구니에 동화책 2권을 넣었을 때의 무게는 몇 kg인지 구해 보세요. (단, 동화책의 무게는 모두 같습니다.)

2주

사고력

$1\frac{2}{5}$ kg

$3\frac{5}{7}$ kg

① 동화책 4권의 무게는 몇 kg일까요?

(   )

② 바구니의 무게는 몇 kg일까요?

(   )

③ 동화책 2권을 바구니에 넣었을 때의 무게는 몇 kg일까요?

(   )

3 재민이는 떡볶이를 만들려고 합니다. 떡볶이를 만드는 방법을 보고, 2인분을 만들기 위해 필요한 고추장과 설탕의 양은 모두 몇 큰술인지 구해 보세요.

떡볶이 만들기 - 1인분

- 재료: 떡 120 g, 어묵 30 g, 물 300 mL,
  다진 파 10 g, 달걀 1개

- 양념장: 고추장 $2\frac{1}{3}$큰술, 설탕 $1\frac{2}{5}$큰술,

  간장 $2\frac{2}{3}$큰술, 고춧가루 1큰술

① 물에 양념장을 넣고 끓입니다.
② 양념이 어느 정도 졸았다면
  떡, 어묵을 넣고 끓입니다.
③ 떡이 익으면 불을 끄고
  다진 파와 달걀을 넣습니다.

① 떡볶이 2인분을 만들기 위해 필요한 고추장의 양은 몇 큰술일까요?

(   )

② 떡볶이 2인분을 만들기 위해 필요한 설탕의 양은 몇 큰술일까요?

(   )

③ 떡볶이 2인분을 만들기 위해 필요한 고추장과 설탕의 양은 모두 몇 큰술일까요?

(   )

4 다음 그림은 고대 이집트 신화에 나오는 '호루스의 눈'입니다. 이집트인들은 호루스의 눈 전체를 1로 하여 각 부분에 분수를 배치하였는데 부족한 부분은 호루스의 눈을 치유해 준 지식과 달의 신인 토트가 채워 준다고 믿었습니다. 부족한 부분은 전체의 얼마인지 구해 보세요.

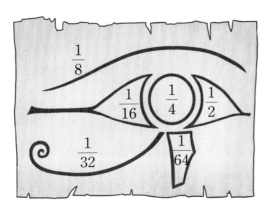

• 각각의 분수가 상징하는 것

$\frac{1}{2}$: 후각　　　$\frac{1}{16}$: 청각

$\frac{1}{4}$: 시각　　　$\frac{1}{32}$: 미각

$\frac{1}{8}$: 생각　　　$\frac{1}{64}$: 촉각

2주
사고력

① 후각, 시각, 생각을 상징하는 분수의 합은 얼마일까요?

(　　　　　　　　　)

② 청각, 미각, 촉각을 상징하는 분수의 합은 얼마일까요?

(　　　　　　　　　)

③ 호루스의 눈의 여섯 부분의 합을 구해 보세요.

(　　　　　　　　　)

④ 부족한 부분은 전체의 얼마인지 구해 보세요.

(　　　　　　　　　)

1 가로가 $3\frac{1}{7}$ cm, 세로가 $6\frac{2}{3}$ cm인 직사각형 모양의 종이 2장을 겹치지 않게 이어 붙였습니다. 붙여서 만든 직사각형의 네 변의 길이의 합은 몇 cm인지 구해 보세요.

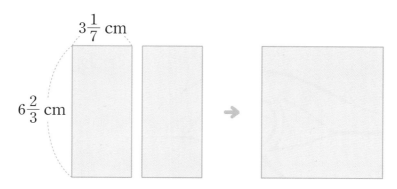

① 붙여서 만든 직사각형의 가로의 길이는 몇 cm일까요?

(   )

② 붙여서 만든 직사각형의 가로의 길이와 세로의 길이의 합은 몇 cm일까요?

(   )

③ 붙여서 만든 직사각형의 네 변의 길이의 합은 몇 cm일까요?

(   )

2 다음 전개도를 접었을 때 만들어지는 정육면체에서 서로 마주 보는 두 면에 쓰여 있는 분수의 합은 모두 같습니다. ㉠과 ㉡에 알맞은 분수를 각각 구해 보세요.

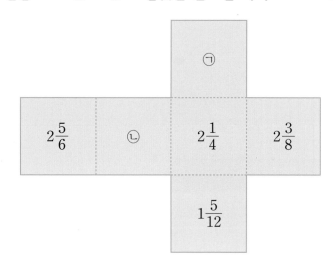

❶ 서로 마주 보는 두 면에 쓰인 분수의 합을 구해 보세요.

(   )

❷ ㉠에 알맞은 분수를 구해 보세요.

(   )

❸ ㉡에 알맞은 분수를 구해 보세요.

(   )

3 다음은 음표의 모양에 따른 박자를 나타낸 표입니다. 표를 보고 관계있는 것끼리 선으로 이어 보세요.

음표	𝅗𝅥	𝅗𝅥.	𝅘𝅥	𝅘𝅥𝅮.	𝅘𝅥𝅮
박자	2박자	$1\frac{1}{2}$박자	1박자	$\frac{3}{4}$박자	$\frac{1}{2}$박자

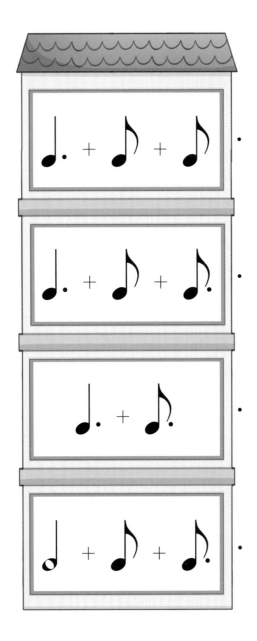

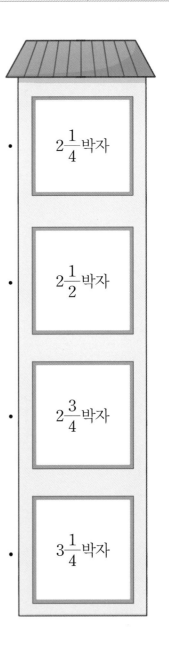

4 여희는 마트를 지나서 가는 길과 놀이터를 지나서 가는 길 중 더 가까운 길로 병원을 가려고 합니다. 여희는 어디를 지나서 병원에 가야 하는지 구해 보세요.

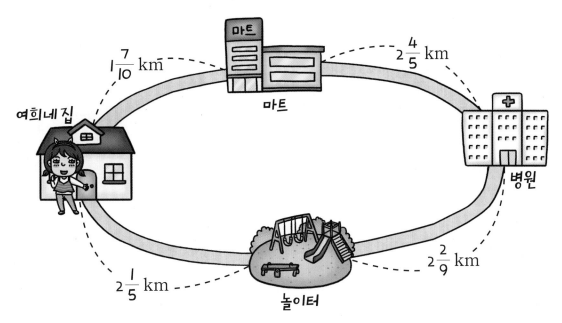

① 여희네 집에서 마트를 지나 병원에 가는 길의 거리는 몇 km인지 구해 보세요.

(   )

② 여희네 집에서 놀이터를 지나 병원에 가는 길의 거리는 몇 km인지 구해 보세요.

(   )

③ 여희는 마트와 놀이터 중 어디를 지나서 가는 길로 병원에 가야 할까요?

(   )

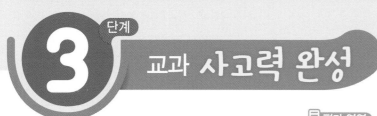
평가 영역 ☐개념 이해력 ☐개념 응용력 ☐창의력 ☑문제 해결력

1 주사위를 2개씩 던져 나온 눈의 수로 진분수를 각각 만들었습니다. 세 사람이 만든 진분수의 합을 구해 보세요.

① 소민　주원　해인

(　　　　　　　　　　　)

② 은우　동훈　시원

(　　　　　　　　　　　)

세 분수의 합은 두 수씩 차례로 더해도 되고 한꺼번에 통분하여 더해도 됩니다.

정답과 풀이 p.11

평가 영역 □개념 이해력 □개념 응용력 □창의력 ☑문제 해결력

2 길이가 다른 색 테이프 2장을 $\frac{3}{8}$ m가 겹치게 이어 붙였습니다. 이어 붙인 색 테이프의 전체 길이는 몇 m인지 구해 보세요.

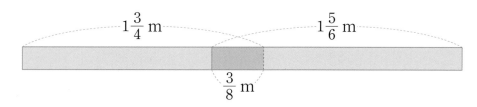

$1\frac{3}{4}$ m $1\frac{5}{6}$ m

$\frac{3}{8}$ m

1 색 테이프 2장의 길이의 합을 구해 보세요.

(   )

2 위 **1**의 결과에서 겹친 부분의 길이를 빼면 얼마일까요?

(   )

평가 영역 ☑개념 이해력 □개념 응용력 □창의력 □문제 해결력

3 동욱이가 어제는 운동을 $1\frac{2}{3}$시간 동안 했고, 오늘은 $1\frac{1}{2}$시간 동안 했습니다. 어제와 오늘 운동을 한 시간은 모두 몇 시간 몇 분인지 구해 보세요.

1 동욱이가 어제와 오늘 운동을 한 시간은 모두 몇 시간인지 분수로 나타내어 보세요.

(   )

2 위 **1**에서 구한 시간을 몇 시간 몇 분으로 나타내어 보세요.

(   )

1 ☐ 안에 알맞은 수를 써넣으세요.

$$1\frac{5}{8} + 2\frac{7}{12} = 1\frac{\boxed{}}{24} + 2\frac{\boxed{}}{24} = 3\frac{\boxed{}}{24} = \boxed{}\frac{\boxed{}}{24}$$

2 대분수를 가분수로 나타내어 계산해 보세요.

(1) $1\frac{2}{11} + 1\frac{1}{3}$ _____

(2) $1\frac{1}{4} + 2\frac{3}{5}$ _____

3 ☐ 안에 알맞은 수를 써넣으세요.

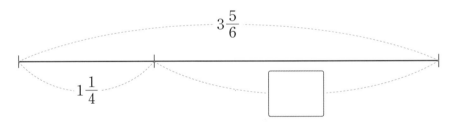

4 $\frac{5}{8} + \frac{7}{12}$ 을 계산할 때 공통분모가 될 수 있는 수를 모두 찾아 기호를 써 보세요.

| ㉠ 12 | ㉡ 24 | ㉢ 36 | ㉣ 48 |

(   )

5 가장 큰 분수와 가장 작은 분수의 차를 구해 보세요.

$$2\frac{3}{5} \qquad 5\frac{8}{15} \qquad 2\frac{7}{10}$$

(   )

2 주 평가

6 스케치북의 가로는 세로보다 몇 m 더 깁니까?

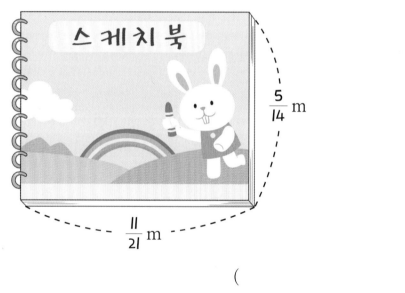

$\frac{5}{14}$ m

$\frac{11}{21}$ m

(   )

7 피자 한 판의 $\frac{1}{5}$은 승기가 먹고, $\frac{4}{7}$는 호동이가 먹었습니다. 남은 피자의 양은 피자 한 판의 몇 분의 몇인지 구해 보세요.

(   )

8 두 수의 합과 차를 각각 구해 보세요.

$$4\frac{7}{24} \qquad 1\frac{3}{4}$$

합 (   )

차 (   )

9 ☐ 안에 알맞은 수를 써넣으세요.

$$\boxed{}-\frac{11}{16}=1\frac{3}{4}$$

10 윤아와 수지가 각자 가지고 있는 수 카드를 한 번씩만 사용하여 만들 수 있는 가장 큰 대분수를 만들었습니다. 두 사람이 만든 대분수의 차를 구해 보세요.

윤아
5 2 7

수지
2 6 3

(   )

11 삼각형의 세 변의 길이의 합은 몇 m인지 구해 보세요.

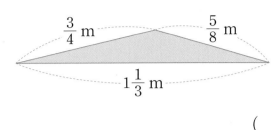

(   )

2 주 평가

12 이어 붙인 색 테이프 전체의 길이를 구해 보세요.

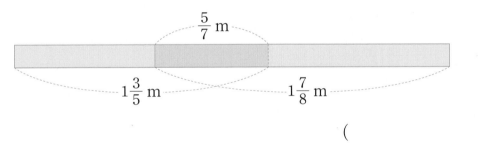

(   )

13 유진이는 오전에 $\frac{3}{4}$ 시간 동안, 오후에 $1\frac{7}{10}$ 시간 동안 독서를 하였습니다. 유진이가 오늘 하루 동안 독서를 한 시간은 몇 시간 몇 분일까요?

(   )

14 □ 안에 알맞은 수를 써넣으세요. (단, □ 안의 수는 24보다 작습니다.)

$$\frac{11}{24} = \frac{1}{\Box} + \frac{1}{\Box}$$

15 빈 곳에 알맞은 분수를 써넣으세요.

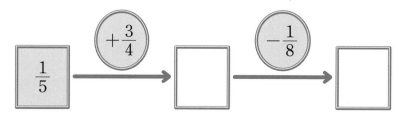

16 어떤 수에 $2\frac{3}{4}$ 을 더해야 할 것을 잘못하여 뺐더니 $2\frac{1}{8}$ 이 되었습니다. 바르게 계산한 값은 얼마인지 구해 보세요.

(   )

정답과 풀이 p.12

1 색의 혼합을 통해 여러 가지 다른 색을 만들 수 있는 세 가지 색을 색의 삼원색이라고 합니다. 인쇄를 할 때 쓰는 색의 삼원색은 시안(Cyan), 마젠타(Magenta), 옐로(Yellow)입니다. 물감이 다음과 같은 양이 있을 때 만들 수 있는 물감의 양을 각각 구해 보세요.

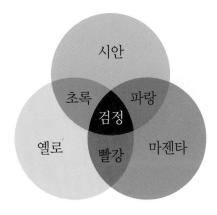

시안: $12\frac{2}{7}$ g

옐로: $11\frac{1}{4}$ g

마젠타: $13\frac{3}{8}$ g

(1) 시안과 옐로 물감을 모두 섞어 초록색 물감을 만든다면 몇 g까지 만들 수 있을까요?

( )

(2) 옐로와 마젠타 물감을 모두 섞어 빨간색 물감을 만든다면 몇 g까지 만들 수 있을까요?

( )

(3) 가지고 있는 물감을 모두 섞어 검정색 물감을 만든다면 몇 g까지 만들 수 있을까요?

( )

6 다각형의 둘레와 넓이

단원과 관련된
넓이 이야기를
살펴보아요.

단위넓이

윤하는 마법의 양탄자를 2개 가지고 있습니다. 둘 중 더 작은 양탄자를 친구 은주에게 주려고
해요. 어느 양탄자가 더 작은지 알아볼까요?

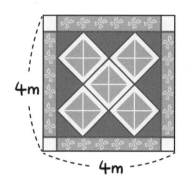

내 껀 어느
쪽이야?

은주

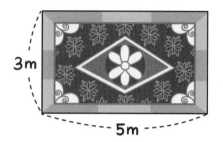

윤하한테 가로, 세로가 각각 1 m인 정사각형 모양의 양탄자 조각이 있어요. 이것으로 두 양
탄자의 넓이를 비교해 봅시다.

윤하

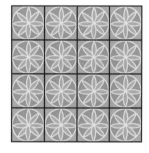

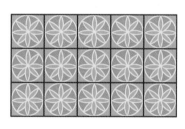

➡ 양탄자 조각을 가로로 4개, 세로로 4개
　놓을 수 있으므로 양탄자의 넓이는
　$4 \times 4 = 16$ (m²)입니다.

➡ 양탄자 조각을 가로로 5개, 세로로 3개
　놓을 수 있으므로 양탄자의 넓이는
　$5 \times 3 = 15$ (m²)입니다.

양탄자의 넓이를 구하기 위해서는 작은 정사각형의 넓이 하나를 1 m²라고 정하고 가로와 세
로에 놓인 작은 정사각형의 수를 곱하면 (가로)×(세로)가 사각형의 넓이가 됩니다. 우리가
사는 집의 크기를 비교한다든지, 농장의 넓이, 책상의 크기 등 크기를 이야기할 때 크다, 작다
만으로 말할 수 없으므로 통일된 단위가 필요하고, 오늘날에는 세계적으로 통일된 미터법을
많이 사용하고 있습니다. _{미터(m)를 기본으로 한 국제단위계} ◀┘

☆ 넓이가 같은 양탄자

두 양탄자는 모양은 다르지만 넓이가 서로 같아요.

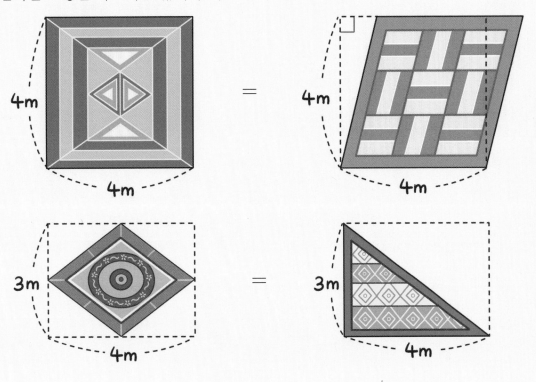

개미굴을 나타낸 모양입니다. 가장 넓은 방에 ○표 하세요.

개념 1 정다각형의 둘레

도형	정삼각형	정사각형	정오각형
한 변의 길이	4 cm	4 cm	4 cm
둘레	$4 \times 3 = 12$ (cm)	$4 \times 4 = 16$ (cm)	$4 \times 5 = 20$ (cm)

> (정다각형의 둘레)=(한 변의 길이)×(변의 수)

개념 2 사각형의 둘레

- 직사각형의 둘레

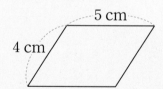

$$(직사각형의 둘레) = 6 + 3 + 6 + 3$$
$$= 6 \times 2 + 3 \times 2$$
$$= (6 + 3) \times 2 = 18 \text{ (cm)}$$

> (직사각형의 둘레)={(가로)+(세로)}×2

- 평행사변형의 둘레

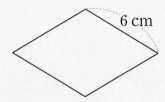

$$(평행사변형의 둘레) = 4 + 5 + 4 + 5$$
$$= 4 \times 2 + 5 \times 2$$
$$= (4 + 5) \times 2 = 18 \text{ (cm)}$$

> (평행사변형의 둘레)={(한 변의 길이)+(다른 한 변의 길이)}×2

- 마름모의 둘레

6 cm

$$(마름모의 둘레) = 6 + 6 + 6 + 6$$
$$= 6 \times 4$$
$$= 24 \text{ (cm)}$$

> (마름모의 둘레)=(한 변의 길이)×4

개념 확인 문제

1-1 정다각형의 둘레를 구해 보세요.

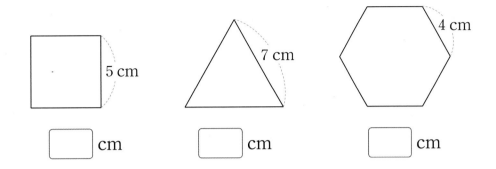

☐ cm   ☐ cm   ☐ cm

1-2 한 변의 길이가 8 cm인 정오각형의 둘레를 구해 보세요.

(   )

2-1 직사각형의 둘레를 구하려고 합니다. ☐ 안에 알맞은 수를 써넣으세요.

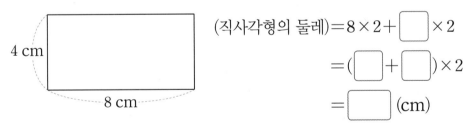

(직사각형의 둘레) $= 8 \times 2 + \boxed{} \times 2$

$= (\boxed{} + \boxed{}) \times 2$

$= \boxed{}$ (cm)

2-2 사각형의 둘레는 몇 cm인지 구해 보세요.

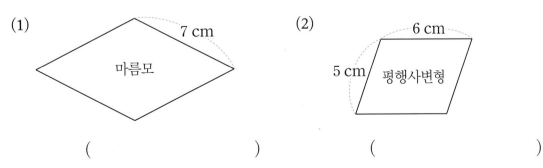

(1) 마름모   7 cm   (2) 6 cm   5 cm   평행사변형

(   )   (   )

개념 3 1 cm² 알아보기

• 1 cm²: 한 변의 길이가 1 cm인 정사각형의 넓이

쓰기 $1\,cm^2$ 읽기 1 제곱센티미터

참고 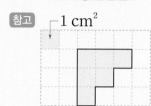 → $\boxed{1\,cm^2}$가 6개이므로
도형의 넓이는 6 cm²입니다.

> 도형의 넓이를 나타낼 때에는 한 변의 길이가 1 cm인 정사각형의 넓이를 단위로 사용해요.

개념 4 직사각형의 넓이

• (직사각형의 넓이)=(가로)×(세로)

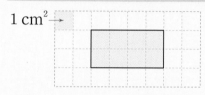

→ (가로)=4 cm, (세로)=2 cm
(직사각형의 넓이)=4×2=8 (cm²)

• (정사각형의 넓이)=(한 변의 길이)×(한 변의 길이)

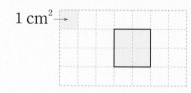

→ (한 변의 길이)=2 cm
(정사각형의 넓이)=2×2=4 (cm²)

개념 5 1 cm²보다 더 큰 넓이의 단위

• 1 m²: 한 변의 길이가 1 m인 정사각형의 넓이

쓰기 $1\,m^2$ 읽기 1 제곱미터

1 m = 100 cm

→ 100×100 =10000 (cm²)

$$1\,m^2=10000\,cm^2$$

• 1 km²: 한 변의 길이가 1 km인 정사각형의 넓이

쓰기 $1\,km^2$ 읽기 1 제곱킬로미터

1 km = 1000 m

→ 1000×1000 =1000000 (m²)

$$1\,km^2=1000000\,m^2$$

개념 확인 문제

3-1 도형의 넓이를 구해 보세요.

(1) 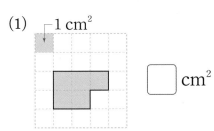 $\boxed{}$ cm^2

(2) 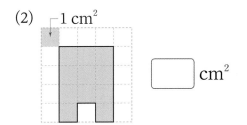 $\boxed{}$ cm^2

4-1 직사각형의 넓이는 몇 cm^{2}인지 구해 보세요.

(1)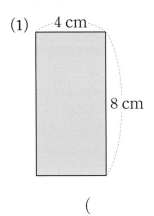

(   )

(2)

(   )

9 cm, 3 cm

4-2 정사각형의 넓이는 몇 cm^{2}인지 구해 보세요.

(1)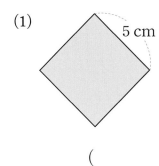

5 cm

(   )

(2)

6 cm

(   )

5-1 ☐ 안에 알맞은 수를 써넣으세요.

(1) 1 m^2 = $\boxed{}$ cm^2

(2) 5000000 m^2 = $\boxed{}$ km^2

(3) 7 km^2 = $\boxed{}$ m^2

(4) 20000 cm^2 = $\boxed{}$ m^2

개념 6 평행사변형의 넓이

- 밑변: 평행사변형에서 평행한 두 변
- 높이: 두 밑변 사이의 거리

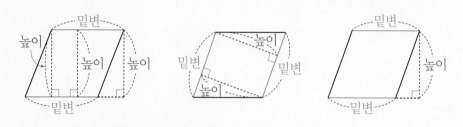

$$(\text{평행사변형의 넓이})=(\text{밑변의 길이})\times(\text{높이})$$

예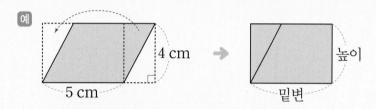

➡ (평행사변형의 넓이)=(직사각형의 넓이)=(밑변의 길이)×(높이)
$$=5\times4=20\ (\text{cm}^2)$$

개념 7 삼각형의 넓이

- 밑변: 삼각형의 어느 한 변
- 높이: 밑변과 마주 보는 꼭짓점에서 밑변에 수직으로 그은 선분의 길이

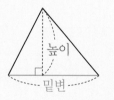  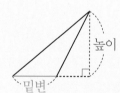

$$(\text{삼각형의 넓이})=(\text{밑변의 길이})\times(\text{높이})\div2$$

예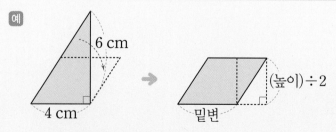

➡ (삼각형의 넓이)=(평행사변형의 넓이)=(밑변의 길이)×(높이)÷2
$$=4\times6\div2=12\ (\text{cm}^2)$$

개념 확인 문제

6-1 평행사변형을 보고 ☐ 안에 밑변과 높이 중 알맞은 말을 써넣으세요.

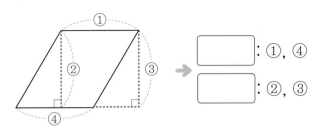

☐ : ①, ④

☐ : ②, ③

6-2 평행사변형의 넓이는 몇 cm²인지 구해 보세요.

(1)

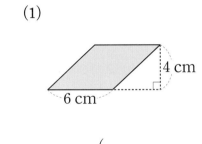

6 cm   4 cm

(   )

(2)

9 cm

3 cm

(   )

7-1 삼각형의 밑변이 다음과 같을 때 높이를 찾아 기호를 써 보세요.

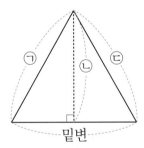

㉠ ㉡ ㉢

밑변

(   )

7-2 삼각형의 넓이를 구하려고 합니다. ☐ 안에 알맞은 수를 써넣으세요.

(1)

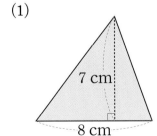

7 cm

8 cm

$8 \times \boxed{} \div 2$

$= \boxed{}$ (cm²)

(2)

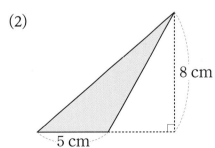

8 cm

5 cm

$\boxed{} \times \boxed{} \div \boxed{}$

$= \boxed{}$ (cm²)

개념 **8** 마름모의 넓이

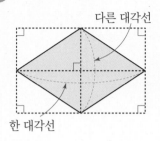

마름모의 두 대각선의 길이는 각각 마름모를 둘러싸고 있는 직사각형의 가로, 세로의 길이와 같습니다.

> (마름모의 넓이)＝(한 대각선의 길이)×(다른 대각선의 길이)÷2

예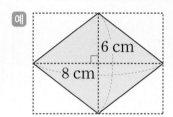

➡ (마름모의 넓이)

＝(둘러싸는 직사각형의 넓이)÷2

＝(한 대각선의 길이)×(다른 대각선의 길이)÷2

＝8×6÷2＝24 (cm²)

개념 **9** 사다리꼴의 넓이

• 밑변: 사다리꼴에서 평행한 두 변

　　(한 밑변을 윗변, 다른 한 밑변을 아랫변이라고 합니다.)

• 높이: 두 밑변 사이의 거리

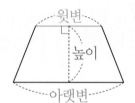

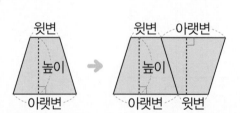

> (사다리꼴의 넓이)＝{(윗변의 길이)＋(아랫변의 길이)}×(높이)÷2

예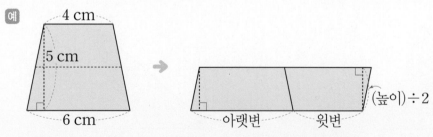

➡ (사다리꼴의 넓이)＝(만들어진 평행사변형의 넓이)

＝{(윗변의 길이)＋(아랫변의 길이)}×(높이)÷2

＝(4＋6)×5÷2＝25 (cm²)

개념 확인 문제

8-1 ☐ 안에 알맞은 수를 써넣으세요.

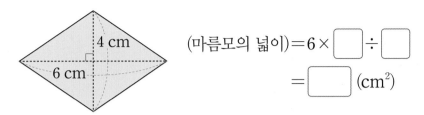

(마름모의 넓이) $= 6 \times$ ☐ $\div$ ☐

$=$ ☐ (cm^2)

8-2 마름모의 넓이는 몇 cm^2인지 구해 보세요.

(1)
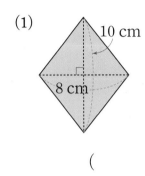

( )

(2)
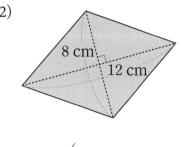

( )

9-1 사다리꼴의 높이는 몇 cm일까요?

(1)
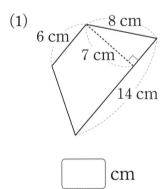

☐ cm

(2)
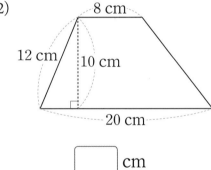

☐ cm

9-2 사다리꼴의 넓이는 몇 cm^2인지 구해 보세요.

(1)
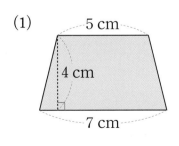

( )

(2)
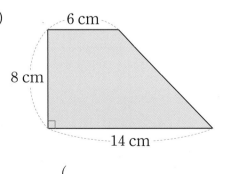

( )

교과서 개념 스토리 — 철사로 만든 작품

준비물 붙임딱지

유림이네 모둠 학생들은 미술 시간에 철사로 여러 가지 모양 만들기를 했어요. 학생들이 만든 모양의 설명을 보고 각 학생이 만든 작품 붙임딱지를 전시대에 알맞게 붙인 후 작품을 만드는 데 사용한 철사의 길이는 몇 cm인지 구해 보세요.

나는 네 변의 길이와 네 각의 크기가 같은 사각형을 만들었어.

유림

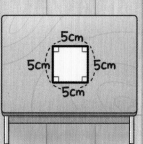

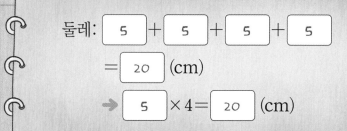

둘레: 5 + 5 + 5 + 5

= 20 (cm)

→ 5 × 4 = 20 (cm)

난 두 대각선이 서로 수직으로 만나고 두 변의 길이의 합이 18 cm인 사각형을 만들었지.

원석

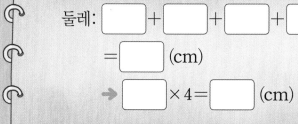

둘레: ☐ + ☐ + ☐ + ☐

= ☐ (cm)

→ ☐ × 4 = ☐ (cm)

난 한 변의 길이가 원석이가 만든 사각형보다 짧은 마름모를 만들었어.

지민

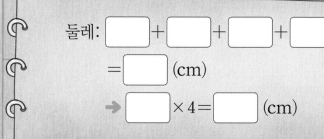

둘레: ☐ + ☐ + ☐ + ☐

= ☐ (cm)

→ ☐ × 4 = ☐ (cm)

내가 만든 사각형은 두 대각선의 길이가 서로 같고, 서로 수직으로 만나.

주원

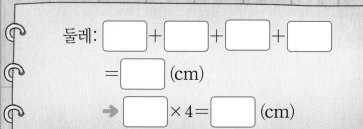

둘레: ☐ + ☐ + ☐ + ☐

= ☐ (cm)

→ ☐ × 4 = ☐ (cm)

윤아: 나는 네 각의 크기가 모두 직각이고 이웃하는 두 변의 길이의 차가 7 cm인 사각형을 만들었어.

둘레: ☐ + ☐ + ☐ + ☐

= ☐ (cm)

→ ☐ × 2 + ☐ × 2 = ☐ (cm)

정은: 난 마주 보는 두 쌍의 변이 평행하고 이웃하는 두 변의 길이의 차가 1 cm인 사각형을 만들었어.

둘레: ☐ + ☐ + ☐ + ☐

= ☐ (cm)

→ ☐ × 2 + ☐ × 2 = ☐ (cm)

양현: 내가 만든 직사각형의 이웃하는 두 변의 길이의 합이 윤아가 만든 사각형보다 짧아.

둘레: ☐ + ☐ + ☐ + ☐

= ☐ (cm)

→ ☐ × 2 + ☐ × 2 = ☐ (cm)

명찬: 나는 평행사변형을 만들었어. 정은이가 만든 사각형보다 이웃하는 두 변의 길이의 합이 더 작지.

둘레: ☐ + ☐ + ☐ + ☐

= ☐ (cm)

→ ☐ × 2 + ☐ × 2 = ☐ (cm)

준비물 ▶ 붙임딱지

파이를 파는 가게에서 서로 다른 여러 가지 다각형 모양의 파이를 팔고 있습니다. 파이 붙임딱지를 이용하여 평행사변형 모양을 완성한 후 파이의 넓이를 구해 보세요. 또한 만든 평행사변형 모양과 넓이가 같은 삼각형 모양의 파이 붙임딱지를 옆의 선물 상자에 붙여 보세요.

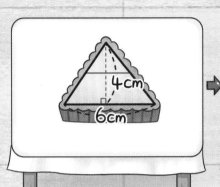 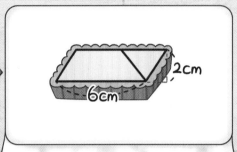

넓이가 같은 삼각파이

→ (삼각형의 넓이) = ⬜ 6 ⬜ × ⬜ 4 ⬜ ÷ 2 = ⬜ 12 ⬜ (cm²)

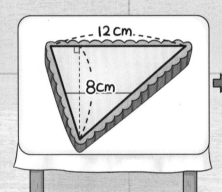 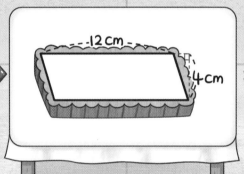

넓이가 같은 삼각파이

→ (삼각형의 넓이) = ⬜ × ⬜ ÷ 2 = ⬜ (cm²)

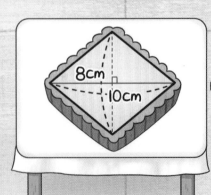 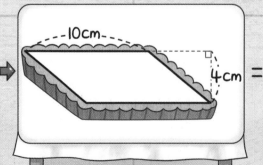

넓이가 같은 삼각파이

→ (마름모의 넓이) = ⬜ × ⬜ ÷ 2 = ⬜ (cm²)

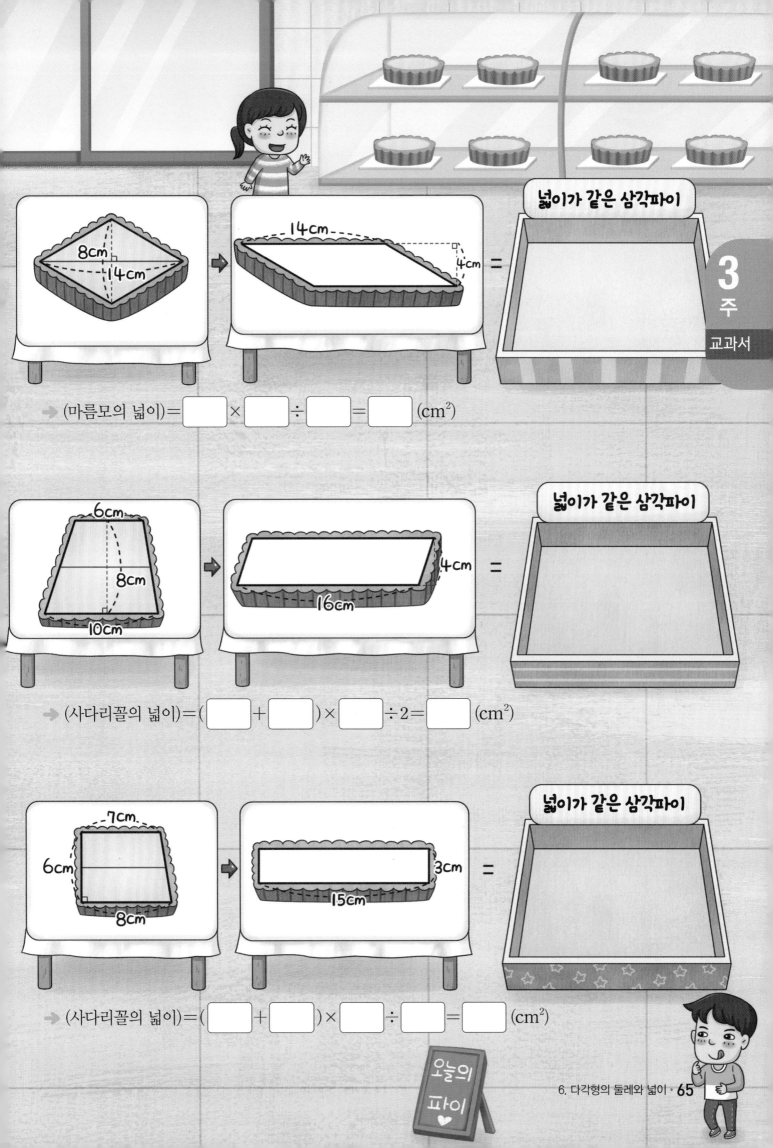

넓이가 같은 삼각파이

→ (마름모의 넓이)= [　] × [　] ÷ [　] = [　] (cm²)

넓이가 같은 삼각파이

→ (사다리꼴의 넓이)=([　] + [　]) × [　] ÷2= [　] (cm²)

넓이가 같은 삼각파이

→ (사다리꼴의 넓이)=([　] + [　]) × [　] ÷ [　] = [　] (cm²)

개념 1 **둘레 구하기**

01 평행사변형의 둘레를 구하려고 합니다. ☐ 안에 알맞은 수를 써넣으세요.

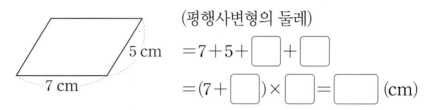

(평행사변형의 둘레)

$= 7 + 5 + \boxed{} + \boxed{}$

$= (7 + \boxed{}) \times \boxed{} = \boxed{}$ (cm)

02 마름모와 정사각형의 둘레는 몇 cm인지 각각 구해 보세요.

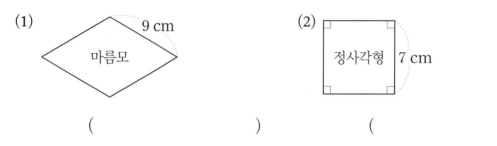

(1) 마름모 9 cm

(   )

(2) 정사각형 7 cm

(   )

03 정다각형의 둘레가 40 cm일 때 ☐ 안에 알맞은 수를 구해 보세요.

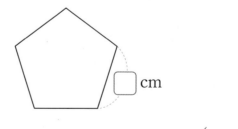

☐ cm

(   )

개념 2 넓이의 단위 알아보기

04 넓이가 5 cm^{2}인 것을 모두 찾아 ○표 하세요.

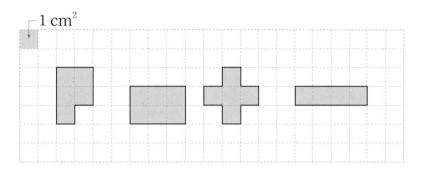

05 ☐ 안에 알맞은 수를 써넣으세요.

(1) 6 m^2 = ☐ cm^2

(2) 8000000 m^2 = ☐ km^2

(3) 50000 cm^2 = ☐ m^2

(4) 9 km^2 = ☐ m^2

06 보기 에서 알맞은 단위를 골라 ☐ 안에 알맞게 써넣으세요.

보기
m^2　　cm^2　　km^2

(1) 부산광역시의 넓이는 765 ☐ 입니다.

(2) 민재네 교실의 넓이는 32 ☐ 입니다.

(3) 현주의 손거울의 넓이는 80 ☐ 입니다.

개념 3 직사각형과 평행사변형의 넓이 구하기

07 직사각형의 넓이를 구해 보세요.

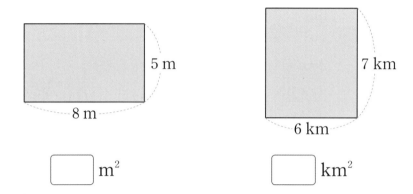

$\boxed{}$ m²

$\boxed{}$ km²

08 평행사변형을 잘라 직사각형을 만들었습니다. 두 도형의 넓이는 몇 cm²인지 각각 구해 보세요.

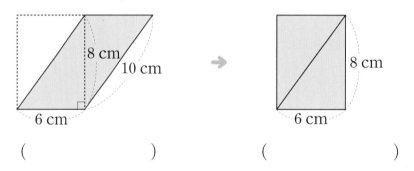

(   )   (   )

09 ☐ 안에 알맞은 수를 구해 보세요.

(1)

(2)

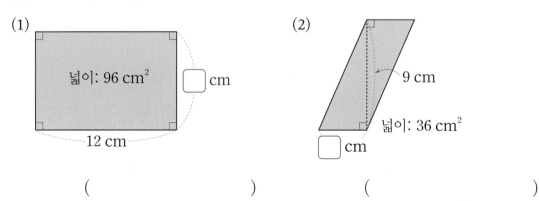

(   )   (   )

개념 4 **삼각형의 넓이 구하기**

10 넓이가 <u>다른</u> 삼각형을 찾아 기호를 써 보세요.

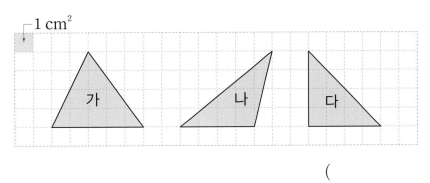

(   )

11 삼각형의 넓이 구하는 식을 쓰고 넓이는 몇 cm²인지 구해 보세요.

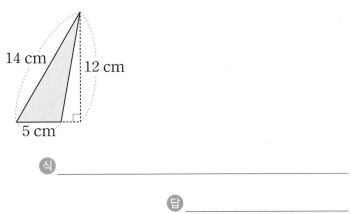

식 _____

답 _____

12 두 삼각형 중 넓이가 더 넓은 삼각형의 기호를 써 보세요.

가   나

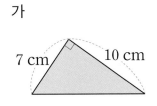   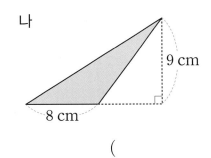

(   )

개념 5 마름모의 넓이 구하기

13 마름모를 두 부분으로 잘라서 평행사변형을 만들었습니다. 두 도형의 넓이를 각각 구해 보세요.

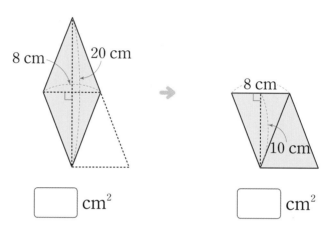

14 마름모의 넓이는 몇 cm^2인지 구해 보세요.

(1)   (2)

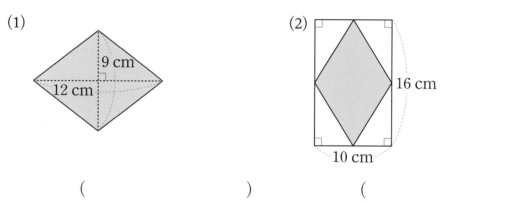

(   )   (   )

15 마름모의 넓이가 36 cm^2일 때 선분 ㄴㄹ의 길이는 몇 cm인지 구해 보세요.

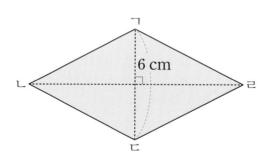

(   )

개념 6 사다리꼴의 넓이 구하기

16 주어진 사다리꼴을 두 부분으로 잘라 평행사변형을 만들었습니다. ☐ 안에 알맞은 수를 써 넣으세요.

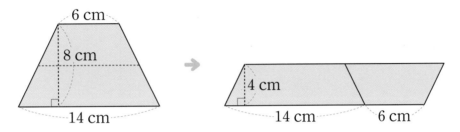

(사다리꼴의 넓이)=(평행사변형의 넓이)

$$= (6 + \boxed{}) \times \boxed{} \div 2$$

$$= \boxed{} \times \boxed{} \div \boxed{}$$

$$= \boxed{} \ (\text{cm}^2)$$

17 사다리꼴의 넓이는 몇 cm²인지 구해 보세요.

(1)

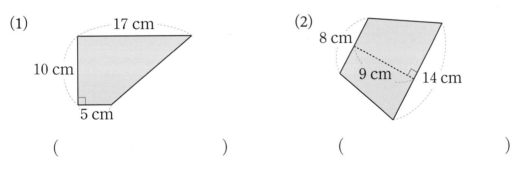

(   )

(2)

(   )

18 주어진 사다리꼴과 넓이가 같은 사다리꼴을 다른 모양으로 1개 그려 보세요.

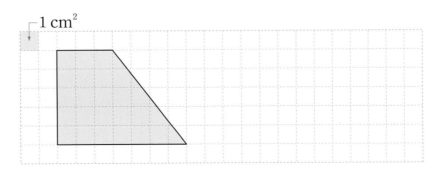

⭐ **둘레가 주어진 경우 정다각형의 한 변의 길이 구하기**

1 두 정다각형의 둘레가 같을 때 정사각형의 한 변의 길이는 몇 cm인지 구해 보세요.

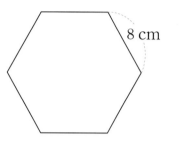 

8 cm

답 _____

개념
피드백

• 둘레가 주어진 경우 정다각형의 한 변의 길이 구하는 방법

　정다각형의 변의 길이는 모두 같으므로 둘레를 변의 수로 나누면 한 변의 길이가 됩니다.

1-1 정오각형의 둘레가 75 cm일 때, 한 변의 길이는 몇 cm인지 구해 보세요.

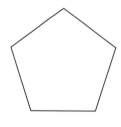

(　　　　　　　　　)

1-2 마름모와 둘레가 같은 정삼각형이 있습니다. 정삼각형의 한 변의 길이는 몇 cm인지 구해 보세요.

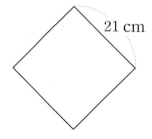 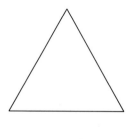

21 cm

(　　　　　　　　　)

★ 단위넓이를 이용하여 넓이 구하기

2 넓이가 넓은 것부터 차례로 기호를 써 보세요.

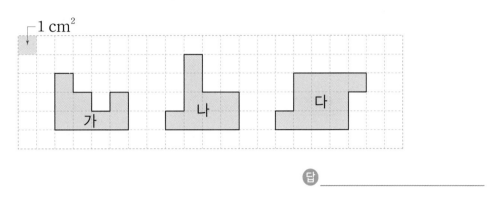

답 _____

개념 피드백

• 단위넓이를 이용하여 넓이 구하는 방법

① 주어진 도형은 단위넓이 몇 개로 이루어진 것인지 확인하여 넓이를 구합니다.

② 주어진 도형이 직각으로만 이루어진 도형이 아닌 경우 도형을 잘라 이동시켜 넓이를 구할 수 있는 도형으로 만들어 넓이를 구합니다.

2-1 넓이가 <u>다른</u> 도형 하나를 찾아 기호를 써 보세요.

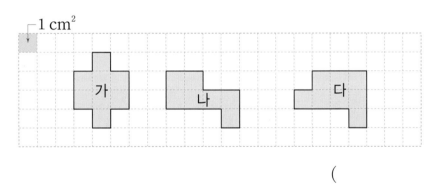

(   )

2-2 단위넓이를 이용하여 도형의 넓이는 몇 cm^2인지 구해 보세요.

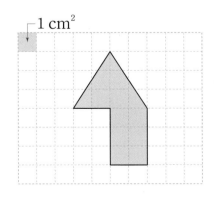

(   )

3
주
교과서

★ **둘레와 넓이의 활용**

3 평행사변형의 넓이가 240 cm²일 때 둘레는 몇 cm인지 구해 보세요.

답 _____

개념 피드백

• 넓이가 주어진 사각형의 둘레 구하는 방법

① 넓이와 주어진 길이를 이용하여 필요한 변의 길이를 구합니다.

② 주어진 길이와 구한 변의 길이를 이용하여 둘레를 구합니다.

3-1 직사각형의 둘레가 34 cm일 때 직사각형의 넓이는 몇 cm²인지 구해 보세요.

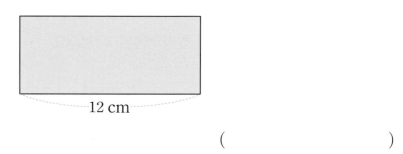

(   )

3-2 평행사변형 가와 넓이가 같은 직사각형 나가 있습니다. 평행사변형 가의 둘레는 몇 cm인지 구해 보세요.

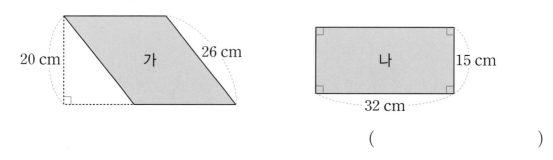

(   )

★ **삼각형의 넓이를 이용하여 길이 구하기**

4 ☐ 안에 알맞은 수를 구해 보세요.

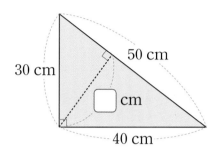

답 _____

개념 피드백

• 삼각형의 넓이를 이용하여 길이 구하는 방법

① 주어진 밑변의 길이와 높이를 이용하여 삼각형의 넓이를 구합니다.

② 삼각형의 밑변을 다르게 하여 넓이를 구하는 식을 이용하여 다른 선분의 길이를 구합니다.

4-1 ☐ 안에 알맞은 수를 구해 보세요.

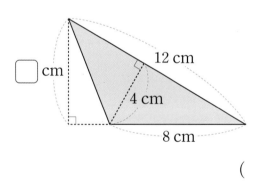

(   )

4-2 ☐ 안에 알맞은 수를 구해 보세요.

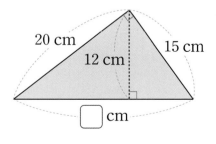

(   )

★ 사다리꼴의 넓이를 이용하여 길이 구하기

5 사다리꼴의 넓이가 96 cm²일 때 ☐ 안에 알맞은 수를 구해 보세요.

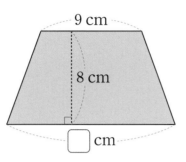

답 _____

개념
피드백
• 사다리꼴의 넓이를 이용하여 길이 구하는 방법
① 구하려는 길이를 ☐로 하여 사다리꼴의 넓이를 구하는 식을 씁니다.
② 계산 과정을 거꾸로 생각하여 ☐의 값을 구합니다.

5-1 사다리꼴의 넓이가 42 cm²일 때 ☐ 안에 알맞은 수를 구해 보세요.

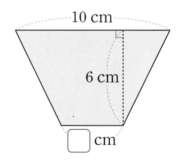

(   )

5-2 사다리꼴의 넓이가 176 cm²일 때 ☐ 안에 알맞은 수를 구해 보세요.

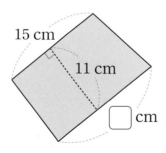

(   )

★ 도형을 붙이거나 잘라내었을 때의 넓이 구하기

6 직사각형 모양의 종이에서 삼각형 모양을 잘라냈습니다. 잘라내고 남은 부분의 넓이는 몇 cm²인지 구해 보세요.

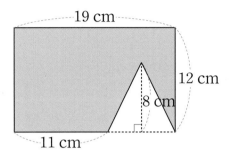

답 _____

> **개념 피드백**
>
> • 도형에서 다른 도형을 잘라내었을 때 남은 부분의 넓이 구하는 방법
> ① 전체 도형의 넓이를 구합니다.
> ② 잘라낸 도형의 넓이를 구합니다.
> ③ 전체 도형의 넓이에서 잘라낸 도형의 넓이를 빼어 남은 부분의 넓이를 구합니다.

6-1 사다리꼴 안에 마름모가 그려져 있는 도형에서 색칠한 부분의 넓이는 몇 cm²인지 구해 보세요.

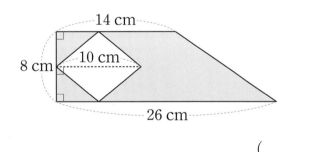

(   )

6-2 색칠한 도형의 넓이는 몇 cm²인지 구해 보세요.

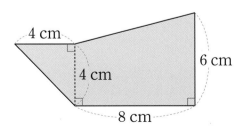

(   )

1 삼각형 ㄱㄴㄷ의 넓이는 39 cm²입니다. 사다리꼴 ㄱㄴㄷㄹ의 넓이는 몇 cm²인지 구해 보세요.

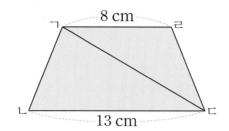

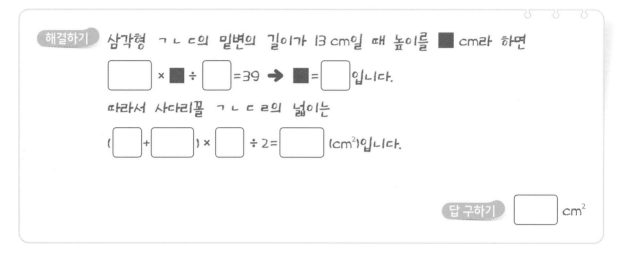

해결하기 삼각형 ㄱㄴㄷ의 밑변의 길이가 13 cm일 때 높이를 ■ cm라 하면

[　] × ■ ÷ [　] =39 ➡ ■=[　] 입니다.

따라서 사다리꼴 ㄱㄴㄷㄹ의 넓이는

([　] + [　]) × [　] ÷ 2 = [　] (cm²)입니다.

답 구하기 [　] cm²

2 평행사변형 ㄱㅁㄷㄹ의 넓이는 96 cm²입니다. 사다리꼴 ㄱㄴㄷㄹ의 넓이는 몇 cm²인지 구해 보세요.

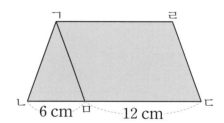

해결하기

답 구하기

3 둘레는 28 cm이고 가로가 세로보다 2 cm 더 긴 직사각형이 있습니다. 이 직사각형의 세로는 몇 cm인지 구해 보세요.

구하려는 것, 주어진 것에 선을 그어 봅니다.

해결하기
(직사각형의 둘레)={(가로)+(세로)} × □

직사각형의 세로를 ■ cm라 하면, 가로는 (■+□) cm입니다.

(직사각형의 둘레)=(■+■+□) × □=28

→ ■+■+□=□

■+■=□

■=□

답 구하기 □ cm

4 둘레는 40 cm이고, 가로가 세로보다 4 cm 더 긴 직사각형이 있습니다. 이 직사각형의 가로는 몇 cm인지 구해 보세요.

구하려는 것, 주어진 것에 선을 그어 봅니다.

해결하기

답 구하기

준비물 붙임딱지

현우네 학교 5학년 학생들이 채소밭을 가꾸고 있습니다. 각 채소밭을 두 부분으로 나누어 넓이를 구하려고 합니다. 두 부분으로 나누어지는 모양을 붙임딱지로 붙인 후 넓이를 구하기 위해 필요한 길이를 써넣고 각 채소밭의 넓이를 구해 보세요.

당근밭

넓이: $9 \times 12 \div 2 + 15 \times 2 \div 2$

$= 54 + 15 = 69 \ (m^2)$

고구마밭

넓이: $(\boxed{} + \boxed{}) \times \boxed{} \div \boxed{} + \boxed{} \times \boxed{} \div \boxed{}$

$= \boxed{} + \boxed{} = \boxed{} \ (m^2)$

고추밭

넓이:

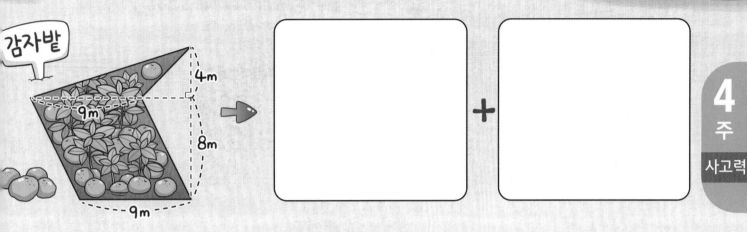

감자밭

☐ + ☐

➡ 넓이:

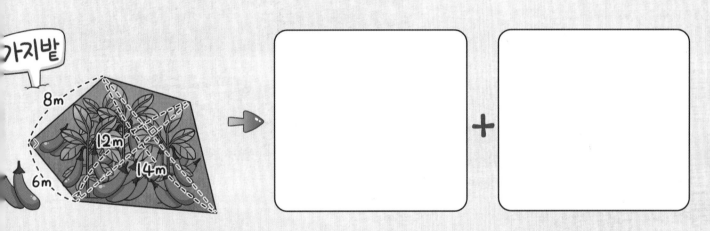

가지밭

☐ + ☐

➡ 넓이:

호박밭

☐ + ☐

➡ 넓이:

사고력 개념 스토리　길을 제외한 공원의 넓이

준비물 붙임딱지

마을별로 주민들을 위한 공원을 구성하여 공원 안에 길을 만들고 있습니다. 길을 제외한 공원의 넓이를 구하려고 합니다. 길을 빼고 공원을 붙인 모양을 붙임딱지를 이용하여 만들고, 완성한 도형에 넓이를 구하기 위해 필요한 길이를 써넣고 길을 제외한 공원의 넓이를 구해 보세요.

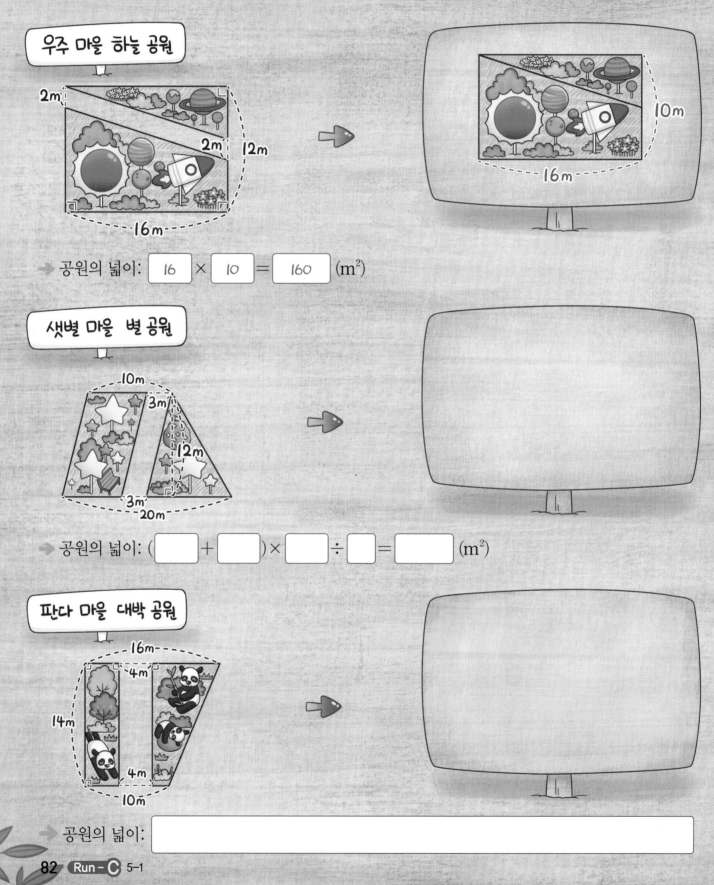

우주 마을 하늘 공원

→ 공원의 넓이: 16 × 10 = 160 (m²)

샛별 마을 별 공원

→ 공원의 넓이: (☐ + ☐) × ☐ ÷ ☐ = ☐ (m²)

판다 마을 대박 공원

공원의 넓이: ☐

달빛 마을 달님 공원

2m

10m 2m 2m

2m

17m

공원의 넓이:

우산 마을 무지개 공원

5m

20m

5m

26m

공원의 넓이:

함박 마을 미소 공원

2m

10m 3m 3m

2m

17m

공원의 넓이:

1 둘레가 16 cm인 작은 정사각형 모양의 초콜릿이 합쳐져서 만들어진 초콜릿이 있습니다. 강호가 먹고 남은 초콜릿이 다음과 같을 때 남은 초콜릿의 둘레는 몇 cm인지 구해 보세요.

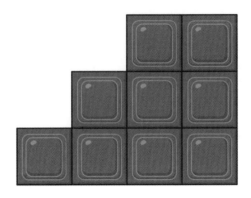

① 작은 정사각형 모양의 초콜릿 한 개의 한 변의 길이는 몇 cm일까요?

(   )

② 남은 초콜릿의 둘레는 정사각형의 한 변의 길이의 몇 배일까요?

(   )

③ 남은 초콜릿의 둘레는 몇 cm일까요?

(   )

2 영미는 수영장에 갔습니다. 어린이용 수영장의 넓이가 더 좁다면 어린이인 영미는 어느 수영장으로 들어가야 하는지 구해 보세요.

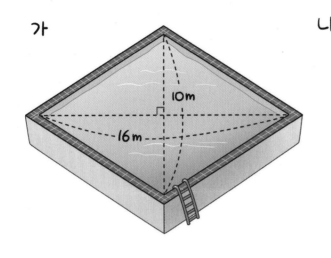
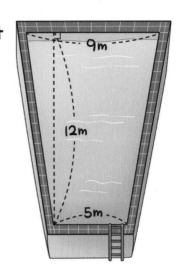

① 마름모 모양의 수영장의 넓이는 몇 m^2일까요?

(   )

② 사다리꼴 모양의 수영장의 넓이는 몇 m^2일까요?

(   )

③ 영미가 들어가야 하는 수영장은 무엇인지 기호를 써 보세요.

(   )

3 픽토그램이란 그림을 뜻하는 픽토(picto)와 전보를 뜻하는 텔레그램(telegram)의 합성어로 무언가 중요한 사항이나 장소를 알리기 위해 어떤 사람이 보더라도 같은 의미로 통할 수 있는 그림으로 된 상징문자입니다. 다음은 화장실의 남녀칸을 구분 짓는 픽토그램입니다. 픽토그램의 색칠한 부분의 넓이의 합을 구해 보세요.

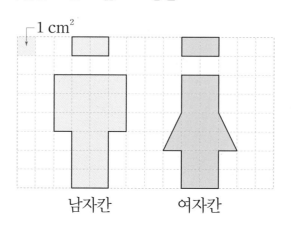

남자칸　　　여자칸

① 남자칸 픽토그램의 넓이는 몇 cm²일까요?

(　　　　　　　　　　　)

② 여자칸 픽토그램의 넓이는 몇 cm²일까요?

(　　　　　　　　　　　)

③ 화장실의 남녀칸 픽토그램의 넓이의 합을 구해 보세요.

(　　　　　　　　　　　)

4 가영이네 집의 직사각형 모양의 평면도입니다. 주방과 거실의 넓이는 몇 m^2인지 구해 보세요. (단, 방과 화장실은 모두 직사각형 모양입니다.)

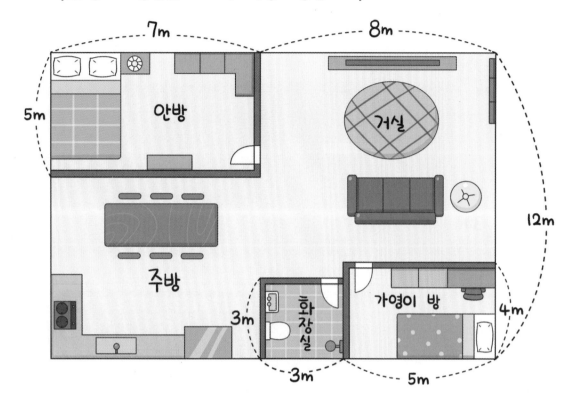

1 안방, 가영이 방, 화장실의 넓이를 각각 구해 보세요.

안방 (   )

가영이 방 (   )

화장실 (   )

2 가영이네 집 전체 넓이는 몇 m^2일까요?

(   )

3 주방과 거실의 넓이는 몇 m^2일까요?

(   )

1 다음과 같은 직사각형 모양의 주차장이 있습니다. 장애인 주차 구역의 가로는 일반 주차 구역의 가로보다 $1\,m$ 길고 나머지 칸의 크기는 모두 같습니다. 주차 구역 사이의 간격이 모두 같을 때 일반 주차 구역 한 칸의 둘레는 몇 m인지 구해 보세요.

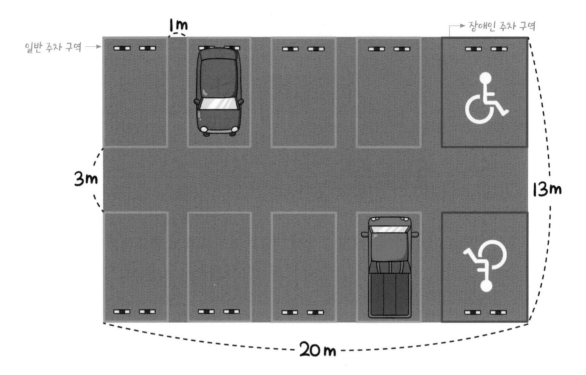

① 일반 주차 구역 한 칸의 가로는 몇 m일까요?

(   )

② 주차 구역 한 칸의 세로는 몇 m일까요?

(   )

③ 일반 주차 구역 한 칸의 둘레는 몇 m일까요?

(   )

2 다음은 정사각형 3개를 이어 붙인 도형의 일부분을 색칠한 것입니다. 색칠한 부분의 넓이를 구해 보세요.

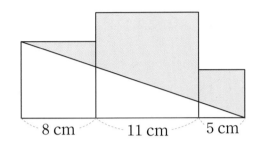

8 cm   11 cm   5 cm

1 정사각형 3개의 넓이의 합은 몇 cm²일까요?

(   )

2 색칠하지 않은 삼각형의 넓이는 몇 cm²일까요?

(   )

3 색칠한 부분의 넓이는 몇 cm²일까요?

(   )

3 모양과 크기가 같은 두 마름모를 그림과 같이 겹치게 붙였습니다. 만든 도형의 전체 넓이는 몇 cm²인지 구해 보세요.

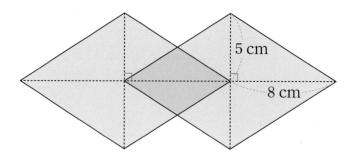

① 만든 도형의 전체 넓이는 (두 마름모의 넓이)－(겹쳐진 부분의 넓이)로 구합니다.

겹쳐진 부분의 넓이는 주어진 마름모 한 개의 넓이의 $\dfrac{1}{\boxed{}}$ 입니다.

② 겹쳐진 부분의 넓이는 몇 cm²일까요?

(   )

③ 만든 도형의 전체 넓이는 몇 cm²일까요?

(   )

4 가로가 40 m, 세로가 30 m인 직사각형 모양의 밭을 다음과 같이 9부분으로 나누어 길을 냈습니다. 길을 제외한 밭의 넓이는 몇 m^2인지 구해 보세요.

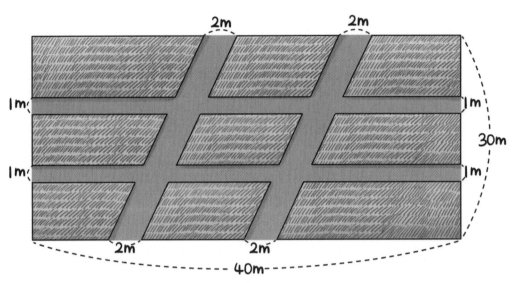

1 길을 제외한 밭의 가로는 몇 m일까요?

(   )

2 길을 제외한 밭의 세로는 몇 m일까요?

(   )

3 밭의 넓이를 구해 보세요.

(   )

평가 영역 ☐개념 이해력 ☐개념 응용력 ☑창의력 ☐문제 해결력

1 2 cm부터 9 cm까지 길이가 서로 다른 끈 8개가 있습니다. 이 끈을 모두 이용하여 만들 수 있는 직사각형 중 넓이가 가장 넓은 직사각형의 넓이를 구해 보세요. (단, 끈의 굵기는 생각하지 않습니다.)

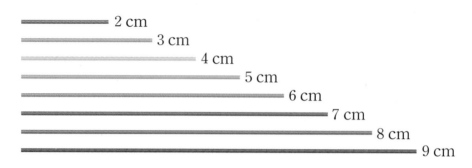

2 cm
3 cm
4 cm
5 cm
6 cm
7 cm
8 cm
9 cm

❶ 끈 8개의 길이의 합은 몇 cm일까요?

(   )

❷ 이 끈을 모두 이용하여 만들 수 있는 직사각형 중 넓이가 가장 넓은 직사각형의 가로와 세로는 각각 몇 cm가 되어야 할까요?

가로 (   ), 세로 (   )

❸ 넓이가 가장 넓은 직사각형의 넓이는 몇 cm²일까요?

(   )

2 평가 영역 ☐개념 이해력 ☐개념 응용력 ☐창의력 ☑문제 해결력

다음과 같이 가로, 세로 간격이 일정하게 찍혀 있는 점을 이어 다각형을 만들었습니다. 점 사이 가로, 세로 간격이 모두 1 cm일 때, 도형 가와 나의 넓이는 각각 몇 cm²인지 구해 보세요.

4
주
사고력

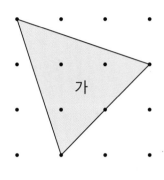
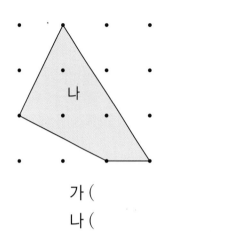

가 (   )

나 (   )

3 평가 영역 ☐개념 이해력 ☐개념 응용력 ☐창의력 ☑문제 해결력

가로, 세로 간격이 모두 1 cm로 일정한 점을 이어 오각형을 만들었습니다. 색칠한 오각형의 넓이는 몇 cm²인지 구해 보세요.

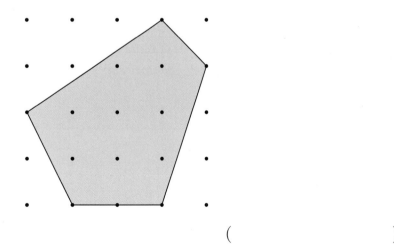

(   )

1 평행사변형의 둘레는 몇 cm일까요?

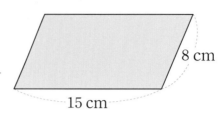

8 cm

15 cm

(　　　　　　　)

2 한 변의 길이가 6 cm인 정오각형의 둘레는 몇 cm일까요?

(　　　　　　　)

3 직사각형의 넓이는 몇 m^2일까요?

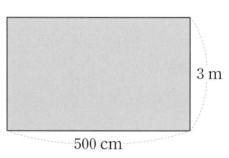

3 m

500 cm

(　　　　　　　)

4 □ 안에 알맞은 단위를 써넣으세요.

(1) $15000000 \ m^2 = 15$ □

(2) $29 \ m^2 = 290000$ □

5 다음 중 넓이가 5 cm²인 것을 찾아 기호를 써 보세요.

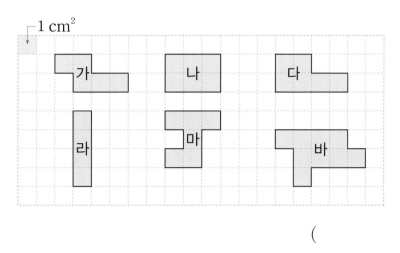

(   )

6 삼각형의 넓이는 몇 cm²일까요?

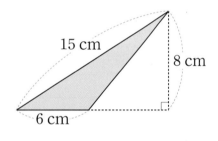

(   )

7 색칠한 마름모의 넓이는 몇 cm²일까요?

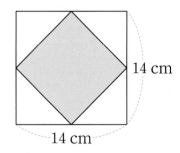

(   )

8 사다리꼴의 넓이는 몇 cm²일까요?

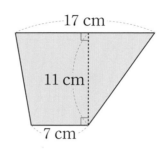

(   )

9 삼각형의 넓이가 <u>다른</u> 하나를 찾아 기호를 써 보세요.

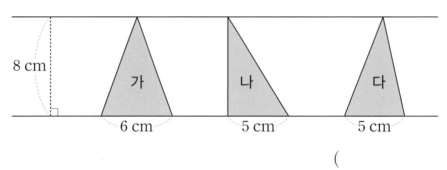

(   )

10 직사각형의 둘레가 24 cm일 때, ☐ 안에 알맞은 수를 써넣으세요.

9 cm

☐ cm

11 두 정다각형의 둘레의 길이가 같습니다. 정사각형의 한 변의 길이는 몇 cm일까요?

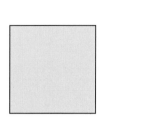 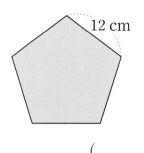

12 cm

(　　　　)

12 평행사변형의 넓이가 72 cm²일 때 둘레는 몇 cm인지 구해 보세요.

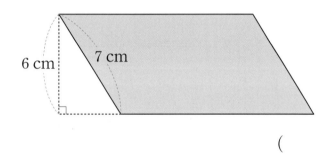

6 cm

7 cm

(　　　　)

13 ☐ 안에 알맞은 수를 구해 보세요.

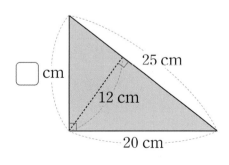

☐ cm

25 cm

12 cm

20 cm

(　　　　)

14 둘레는 92 cm이고 가로가 세로보다 6 cm 더 긴 직사각형이 있습니다. 이 직사각형의 가로는 몇 cm인지 구해 보세요.

(   )

15 색칠한 부분의 넓이는 몇 cm²일까요?

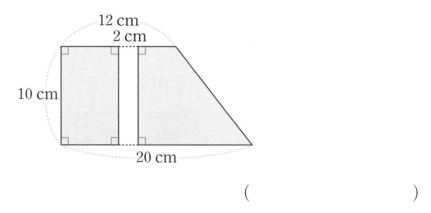

(   )

16 사각형 ㄱㄴㄷㄹ과 사각형 ㄱㅁㄷㅂ은 마름모입니다. 색칠한 도형의 넓이는 몇 cm²인지 구해 보세요.

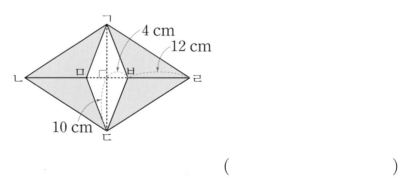

(   )

1 도연이와 지훈이는 여러 나라의 국기에 대하여 알아보고 있습니다. 물음에 답하세요.

브라질 국기

초록 바탕에 노란 마름모가 있고 그 안에 파란 원이 있으며 원 안에는 흰색 리본이 가로질러 있습니다. 초록은 농업과 산림 자원을, 노랑은 광업과 지하 자원을, 파랑은 하늘을 나타내고 별자리 그림은 브라질의 한 도시에서 본 별을 나타낸 것입니다. 흰색 리본에는 포르투갈어로 '질서와 진보'를 나타내는 글씨가 쓰여 있습니다.

스웨덴 국기

노란 십자 모양은 1157년 스웨덴 국왕이었던 에리크 9세가 핀란드를 공격하기 전에 하느님에게 기도를 올릴 때 파란 하늘에서 노란색 빛줄기의 십자가가 나타났다는 전설에서 유래하였습니다. 십자는 그리스도교 국가임을 나타내며 십자가는 스칸디나비아 제국 공통의 디자인입니다.

(1) 도연이가 브라질 국기를 오른쪽과 같이 그렸습니다. 도연이가 그린 브라질 국기에서 초록색 부분의 넓이는 몇 cm^2인지 구해 보세요.

(   )

40 cm
3 cm
3 cm   3 cm
28 cm
3 cm

(2) 지훈이가 스웨덴 국기를 오른쪽과 같이 그렸습니다. 지훈이가 그린 스웨덴 국기에서 파란색 부분의 넓이는 몇 cm^2인지 구해 보세요.

(   )

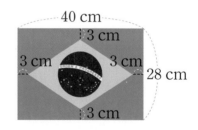

24 cm
3 cm   15 cm
3 cm

Memo

5쪽

14~15쪽

$\frac{10}{13}$ kg $\frac{5}{14}$ kg $\frac{19}{36}$ kg $1\frac{1}{10}$ kg $1\frac{5}{18}$ kg

$1\frac{11}{24}$ kg $1\frac{1}{30}$ kg $1\frac{11}{30}$ kg $1\frac{5}{36}$ kg $1\frac{15}{36}$ kg

$1\frac{19}{36}$ kg $2\frac{7}{9}$ kg $2\frac{7}{13}$ kg $2\frac{7}{40}$ kg $2\frac{11}{48}$ kg

$3\frac{1}{9}$ kg $3\frac{2}{9}$ kg $3\frac{19}{20}$ kg $3\frac{7}{40}$ kg $4\frac{19}{20}$ kg

$4\frac{5}{24}$ kg $4\frac{19}{40}$ kg $5\frac{19}{20}$ kg $5\frac{5}{24}$ kg $5\frac{5}{36}$ kg

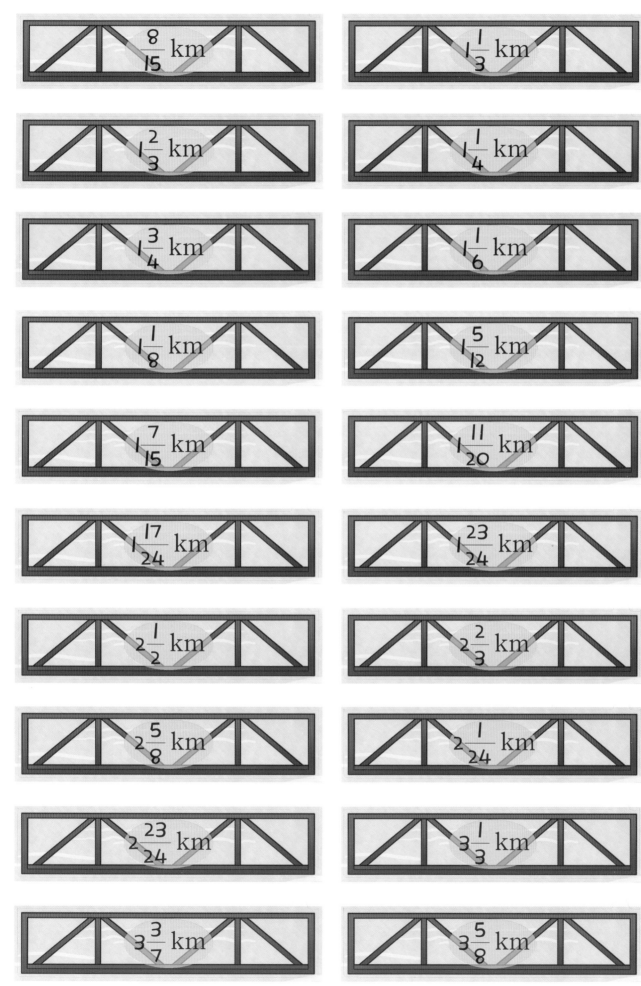

$\dfrac{8}{15}$ km

$1\dfrac{1}{3}$ km

$1\dfrac{2}{3}$ km

$1\dfrac{1}{4}$ km

$1\dfrac{3}{4}$ km

$1\dfrac{1}{6}$ km

$1\dfrac{1}{8}$ km

$1\dfrac{5}{12}$ km

$1\dfrac{7}{15}$ km

$1\dfrac{11}{20}$ km

$1\dfrac{17}{24}$ km

$1\dfrac{23}{24}$ km

$2\dfrac{1}{2}$ km

$2\dfrac{2}{3}$ km

$2\dfrac{5}{8}$ km

$2\dfrac{1}{24}$ km

$2\dfrac{23}{24}$ km

$3\dfrac{1}{3}$ km

$3\dfrac{3}{7}$ km

$3\dfrac{5}{8}$ km

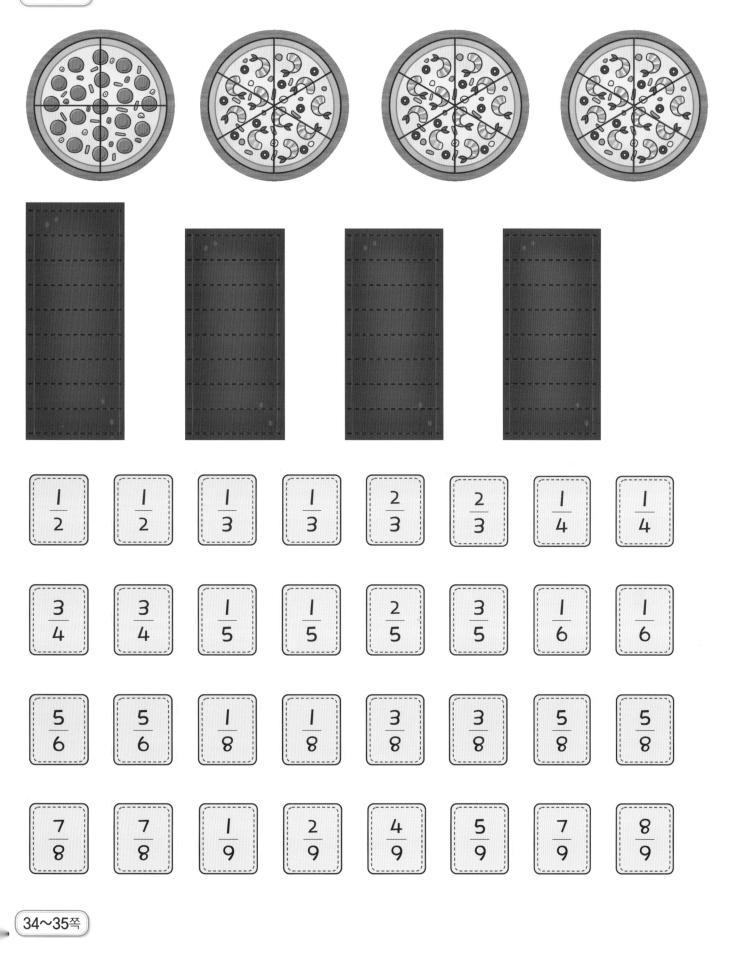

$\dfrac{1}{2}$	$\dfrac{1}{2}$	$\dfrac{1}{3}$	$\dfrac{1}{3}$	$\dfrac{2}{3}$	$\dfrac{2}{3}$	$\dfrac{1}{4}$	$\dfrac{1}{4}$
$\dfrac{3}{4}$	$\dfrac{3}{4}$	$\dfrac{1}{5}$	$\dfrac{1}{5}$	$\dfrac{2}{5}$	$\dfrac{3}{5}$	$\dfrac{1}{6}$	$\dfrac{1}{6}$
$\dfrac{5}{6}$	$\dfrac{5}{6}$	$\dfrac{1}{8}$	$\dfrac{1}{8}$	$\dfrac{3}{8}$	$\dfrac{3}{8}$	$\dfrac{5}{8}$	$\dfrac{5}{8}$
$\dfrac{7}{8}$	$\dfrac{7}{8}$	$\dfrac{1}{9}$	$\dfrac{2}{9}$	$\dfrac{4}{9}$	$\dfrac{5}{9}$	$\dfrac{7}{9}$	$\dfrac{8}{9}$

$\dfrac{1}{2}$ m	$\dfrac{2}{3}$ m	$1\dfrac{1}{3}$ m	$\dfrac{1}{4}$ m	$\dfrac{1}{5}$ m	$\dfrac{2}{5}$ m	$\dfrac{3}{5}$ m

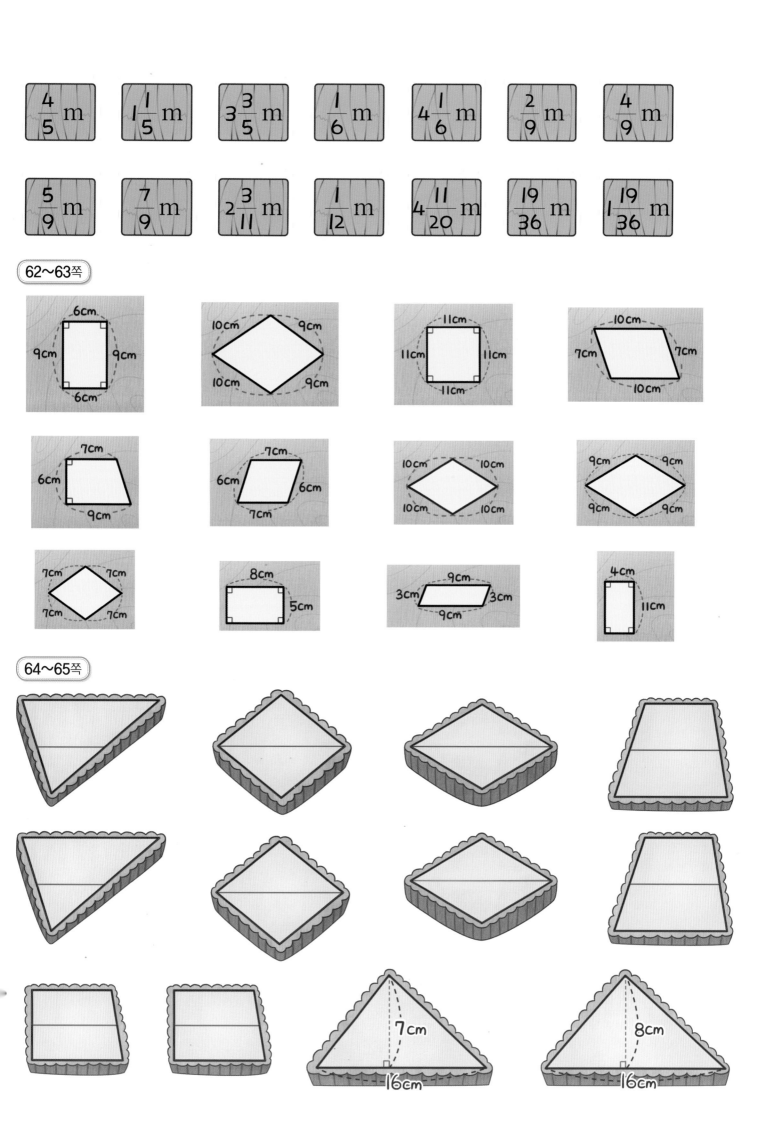

$\dfrac{4}{5}$ m $1\dfrac{1}{5}$ m $3\dfrac{3}{5}$ m $\dfrac{1}{6}$ m $4\dfrac{1}{6}$ m $\dfrac{2}{9}$ m $\dfrac{4}{9}$ m

$\dfrac{5}{9}$ m $\dfrac{7}{9}$ m $2\dfrac{3}{11}$ m $\dfrac{1}{12}$ m $4\dfrac{11}{20}$ m $\dfrac{19}{36}$ m $1\dfrac{19}{36}$ m

62~63쪽

64~65쪽

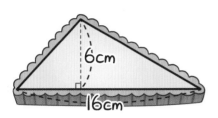 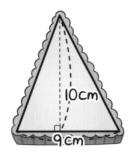  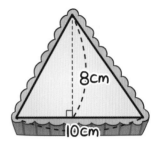

80~81쪽

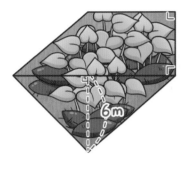  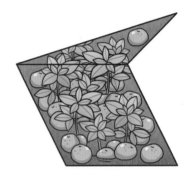

 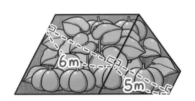 

82~83쪽

 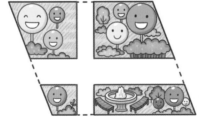 

  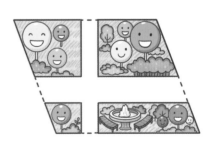

Start
교과서 개념

Run
교과서 사고력

Jump
유형 사고력

#난이도별
#천재되는_수학교재

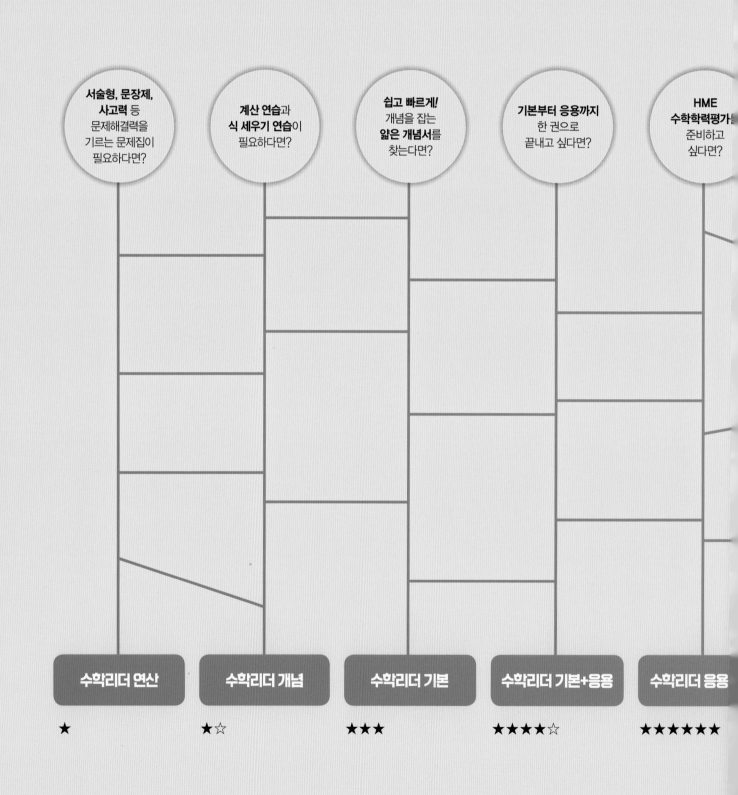

서술형, 문장제, 사고력 등 문제해결력을 기르는 문제집이 필요하다면?

계산 연습과 식 세우기 연습이 필요하다면?

쉽고 빠르게! 개념을 잡는 얇은 개념서를 찾는다면?

기본부터 응용까지 한 권으로 끝내고 싶다면?

HME 수학학력평가를 준비하고 싶다면?

수학리더 연산
★

수학리더 개념
★☆

수학리더 기본
★★★

수학리더 기본+응용
★★★★☆

수학리더 응용
★★★★★★

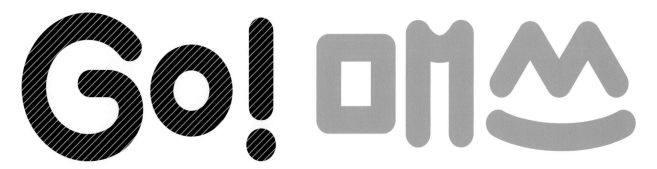

교과서 GO! 사고력 GO!

GO! 매쓰

사고력 중심

Run-C
교과서 사고력

정답과 풀이

수학 5-1

정답과 해설
포인트 2가지

▶ 선생님이나 학부모가 쉽게 문제와 풀이를 한눈에 볼 수 있어요.

▶ 자세한 활동 수업에 대한 팁이 가득하게 들어 있어요.

5 분수의 덧셈과 뺄셈

분수의 덧셈과 뺄셈

분모가 다른 분수의 덧셈과 뺄셈

분모가 같은 분수의 덧셈과 뺄셈은 분모는 그대로 두고 분자끼리 더하거나 빼면 됩니다.

$$\frac{(분자)}{(분모)}+\frac{(분자)}{(분모)}=\frac{(분자)+(분자)}{(분모)}, \quad \frac{(분자)}{(분모)}-\frac{(분자)}{(분모)}=\frac{(분자)-(분자)}{(분모)}$$

분모가 다른 분수의 덧셈과 뺄셈은 어떻게 해야 할까요?
통분을 이용하여 분모를 같게 한 다음에 분모가 같은 분수의 덧셈, 뺄셈과 같은 방법으로 계산하면 됩니다.
통분은 분수의 분모를 같게 하는 것으로 통분을 이용하면 분수의 크기 비교나 분수의 덧셈, 뺄셈도 쉽게 계산할 수 있습니다.

통분

분모가 다른 분수를 통분할 때에는 **분모와 분자에 같은 수를 곱해 주어야 합니다.**

$$\left(\frac{1}{4}, \frac{2}{5}\right) \rightarrow \left(\frac{1\times5}{4\times5}, \frac{2\times4}{5\times4}\right) \rightarrow \left(\frac{5}{20}, \frac{8}{20}\right)$$

돼지 18마리를 가지고 있는 농장 주인이 세 아들에게 돼지를 나누어 주면서 새롭게 농장을 만들어 보라고 이야기했습니다. 농장 주인의 말에 따라 돼지를 나누었을 때 세 아들이 받은 돼지의 수와 농장 주인에게 남은 돼지의 수를 알아보세요.

첫째에게는 전체의 $\frac{1}{2}$,
둘째에게는 전체의 $\frac{1}{3}$, 그리고
막내에게는 전체의 $\frac{1}{9}$을 주겠다.
돼지를 열심히 키워 보거라!

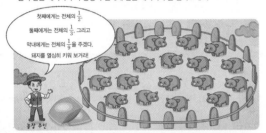

세 아들이 각각 받은 돼지를 수에 맞게 붙이고 □ 안에 알맞은 수를 써넣으세요.

첫째 아들
받은 돼지의 수
$\frac{1}{2}=\frac{\boxed{9}}{18}$

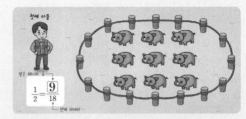

둘째 아들
받은 돼지의 수
$\frac{1}{3}=\frac{\boxed{6}}{18}$

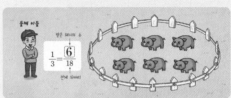

셋째 아들
받은 돼지의 수
$\frac{1}{9}=\frac{\boxed{2}}{18}$

$$\rightarrow \frac{1}{2}+\frac{1}{3}+\frac{1}{9}=\frac{\boxed{9}}{18}+\frac{\boxed{6}}{18}+\frac{\boxed{2}}{18}=\frac{\boxed{17}}{18}$$

농장 주인이 세 아들에게 준 돼지는 $\boxed{17}$ 마리이고 남은 돼지는 $\boxed{1}$ 마리입니다.

1단계 교과서 개념 잡기

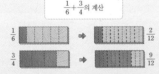

개념 1 받아올림이 없는 진분수의 덧셈

$\frac{1}{6}+\frac{3}{4}$의 계산

$\frac{1}{6}$ ➡ $\frac{2}{12}$

$\frac{3}{4}$ ➡ $\frac{9}{12}$

$$\frac{1}{6}+\frac{3}{4}=\frac{2}{12}+\frac{9}{12}=\frac{11}{12}$$ 통분한 분자끼리 더하기

통분하는 방법에 따라 구별

방법 1 두 분모의 곱을 공통분모로 하여 통분한 후 계산하기

$$\frac{1}{6}+\frac{3}{4}=\frac{1\times4}{6\times4}+\frac{3\times6}{4\times6}$$
$$=\frac{4}{24}+\frac{18}{24}=\frac{22}{24}=\frac{11}{12}$$

방법 2 두 분모의 최소공배수를 공통분모로 하여 통분한 후 계산하기

$$\frac{1}{6}+\frac{3}{4}=\frac{1\times2}{6\times2}+\frac{3\times3}{4\times3}$$
$$=\frac{2}{12}+\frac{9}{12}=\frac{11}{12}$$

분모가 다른 두 분수의 덧셈은 두 분모의 곱을 공통분모로 하거나 두 분모의 최소공배수를 공통분모로 하여 통분한 후 계산합니다.

개념 2 받아올림이 있는 진분수의 덧셈

$\frac{5}{8}+\frac{1}{2}$의 계산

방법 1 두 분모의 곱을 공통분모로 하여 통분한 후 계산하기

$$\frac{5}{8}+\frac{1}{2}=\frac{5\times2}{8\times2}+\frac{1\times8}{2\times8}=\frac{10}{16}+\frac{8}{16}=\frac{18}{16}=1\frac{2}{16}=1\frac{1}{8}$$

방법 2 두 분모의 최소공배수를 공통분모로 하여 통분한 후 계산하기

$$\frac{5}{8}+\frac{1}{2}=\frac{5}{8}+\frac{1\times4}{2\times4}=\frac{5}{8}+\frac{4}{8}=\frac{9}{8}=1\frac{1}{8}$$

방법 1은 공통분모를 구하기 쉽고 방법 2는 분자끼리의 덧셈이 쉽고 계산한 결과를 약분할 필요가 없거나 간단해요.

개념 확인 문제

1-1 $\frac{1}{2}+\frac{3}{8}$을 두 가지 방법으로 계산해 보세요.

① 두 분모의 곱을 공통분모로 하여 통분한 후 계산하기

$$\frac{1}{2}+\frac{3}{8}=\frac{1\times\boxed{8}}{2\times\boxed{8}}+\frac{3\times\boxed{2}}{8\times\boxed{2}}=\frac{\boxed{8}}{16}+\frac{\boxed{6}}{\boxed{16}}=\frac{\boxed{14}}{16}=\frac{\boxed{7}}{8}$$

② 두 분모의 최소공배수를 공통분모로 하여 통분한 후 계산하기

$$\frac{1}{2}+\frac{3}{8}=\frac{1\times\boxed{4}}{2\times\boxed{4}}+\frac{3}{8}=\frac{\boxed{4}}{8}+\frac{3}{8}=\frac{\boxed{7}}{8}$$

1-2 계산해 보세요.

(1) $\frac{2}{9}+\frac{2}{3}=\dfrac{8}{9}$ (2) $\frac{1}{3}+\frac{2}{5}=\dfrac{11}{15}$

❖ (1) $\frac{2}{9}+\frac{2}{3}=\frac{2}{9}+\frac{2\times3}{3\times3}=\frac{2}{9}+\frac{6}{9}=\frac{8}{9}$

(2) $\frac{1}{3}+\frac{2}{5}=\frac{1\times5}{3\times5}+\frac{2\times3}{5\times3}=\frac{5}{15}+\frac{6}{15}=\frac{11}{15}$

2-1 □ 안에 알맞은 수를 써넣으세요.

(1) $\frac{5}{8}+\frac{7}{12}=\frac{5\times\boxed{3}}{8\times3}+\frac{7\times\boxed{2}}{12\times2}=\frac{\boxed{15}}{24}+\frac{\boxed{14}}{24}=\frac{\boxed{29}}{24}=1\frac{\boxed{5}}{24}$

(2) $\frac{9}{10}+\frac{3}{4}=\frac{9\times\boxed{4}}{10\times4}+\frac{3\times\boxed{10}}{4\times\boxed{10}}=\frac{\boxed{36}}{40}+\frac{\boxed{30}}{40}=\frac{\boxed{66}}{40}$
$$=1\frac{\boxed{26}}{40}=1\frac{\boxed{13}}{20}$$

2-2 계산해 보세요.

(1) $\frac{7}{8}+\frac{5}{16}=1\dfrac{3}{16}$ (2) $\frac{3}{7}+\frac{7}{9}=1\dfrac{13}{63}$

❖ (1) $\frac{7}{8}+\frac{5}{16}=\frac{7\times2}{8\times2}+\frac{5}{16}=\frac{14}{16}+\frac{5}{16}=\frac{19}{16}=1\frac{3}{16}$

(2) $\frac{3}{7}+\frac{7}{9}=\frac{3\times9}{7\times9}+\frac{7\times7}{9\times7}=\frac{27}{63}+\frac{49}{63}=\frac{76}{63}=1\frac{13}{63}$

1단계 교과서 개념 잡기

개념 3 받아올림이 없는 대분수의 덧셈

$$1\frac{1}{3}+2\frac{2}{5}\text{의 계산}$$

방법1 자연수는 자연수끼리, 분수는 분수끼리 계산하기

$$1\frac{1}{3}+2\frac{2}{5}=1\frac{5}{15}+2\frac{6}{15}=(1+2)+\left(\frac{5}{15}+\frac{6}{15}\right)=3+\frac{11}{15}=3\frac{11}{15}$$

방법2 대분수를 가분수로 나타내어 계산하기

$$1\frac{1}{3}+2\frac{2}{5}=\frac{4}{3}+\frac{12}{5}=\frac{20}{15}+\frac{36}{15}=\frac{56}{15}=3\frac{11}{15}$$

계산 결과는 대분수로 나타내요.

개념 4 받아올림이 있는 대분수의 덧셈

$$1\frac{1}{2}+1\frac{4}{5}\text{의 계산}$$

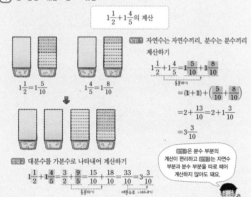

$1\frac{1}{2}=1\frac{5}{10}$ $1\frac{4}{5}=1\frac{8}{10}$

방법1 자연수는 자연수끼리, 분수는 분수끼리 계산하기

$$1\frac{1}{2}+1\frac{4}{5}=1\frac{5}{10}+1\frac{8}{10}$$
$$=(1+1)+\left(\frac{5}{10}+\frac{8}{10}\right)$$
$$=2+\frac{13}{10}=2+1\frac{3}{10}$$
$$=3\frac{3}{10}$$

방법2 대분수를 가분수로 나타내어 계산하기

$$1\frac{1}{2}+1\frac{4}{5}=\frac{3}{2}+\frac{9}{5}=\frac{15}{10}+\frac{18}{10}=\frac{33}{10}=3\frac{3}{10}$$

방법1은 분수 부분의 계산이 편리하고 방법2는 자연수 부분과 분수 부분을 따로 떼어 계산하지 않아도 돼요.

8 · Run - C 5-1

개념 확인 문제

정답과 풀이 p.2

3-1 $1\frac{2}{3}+3\frac{1}{4}$을 두 가지 방법으로 계산해 보세요.

① 자연수는 자연수끼리, 분수는 분수끼리 계산하기

$$1\frac{2}{3}+3\frac{1}{4}=1\frac{8}{12}+3\frac{3}{12}=(1+3)+\left(\frac{8}{12}+\frac{3}{12}\right)=4+\frac{11}{12}=4\frac{11}{12}$$

② 대분수를 가분수로 나타내어 계산하기

$$1\frac{2}{3}+3\frac{1}{4}=\frac{5}{3}+\frac{13}{4}=\frac{20}{12}+\frac{39}{12}=\frac{59}{12}=4\frac{11}{12}$$

❖ ① $1\frac{2}{3}=1\frac{2\times4}{3\times4}=1\frac{8}{12}$, $3\frac{1}{4}=3\frac{1\times3}{4\times3}=3\frac{3}{12}$

② $1\frac{2}{3}=1+\frac{2}{3}=\frac{3}{3}+\frac{2}{3}=\frac{5}{3}$, $3\frac{1}{4}=3+\frac{1}{4}=\frac{12}{4}+\frac{1}{4}=\frac{13}{4}$

4-1 계산해 보세요.

(1) $1\frac{3}{5}+4\frac{9}{20}=6\frac{1}{20}$

(2) $3\frac{3}{4}+1\frac{7}{12}=5\frac{1}{3}$

❖ (1) $1\frac{3}{5}+4\frac{9}{20}=1\frac{12}{20}+4\frac{9}{20}=5\frac{21}{20}=6\frac{1}{20}$

(2) $3\frac{3}{4}+1\frac{7}{12}=3\frac{9}{12}+1\frac{7}{12}=4\frac{16}{12}=5\frac{4}{12}=5\frac{1}{3}$

4-2 두 수의 합을 구해 보세요.

$$2\frac{6}{7} \qquad 2\frac{13}{21}$$

($5\frac{10}{21}$)

❖ $2\frac{6}{7}+2\frac{13}{21}=2\frac{18}{21}+2\frac{13}{21}=4\frac{31}{21}=5\frac{10}{21}$

5. 분수의 덧셈과 뺄셈 · 9

1단계 교과서 개념 잡기

개념 5 진분수의 뺄셈

$$\frac{2}{3}-\frac{2}{9}\text{의 계산}$$

$\frac{2}{3}$

$\frac{2}{9}$

$$\frac{2}{3}-\frac{2}{9}=\frac{6}{9}-\frac{2}{9}=\frac{4}{9}$$

방법1 두 분모의 곱을 공통분모로 하여 통분한 후 계산하기

$$\frac{2}{3}-\frac{2}{9}=\frac{2\times9}{3\times9}-\frac{2\times3}{9\times3}$$
$$=\frac{18}{27}-\frac{6}{27}=\frac{12}{27}=\frac{4}{9}$$

방법2 두 분모의 최소공배수를 공통분모로 하여 통분한 후 계산하기

$$\frac{2}{3}-\frac{2}{9}=\frac{2\times3}{3\times3}-\frac{2}{9}$$
$$=\frac{6}{9}-\frac{2}{9}=\frac{4}{9}$$

개념 6 받아내림이 없는 대분수의 뺄셈

$$2\frac{3}{4}-1\frac{1}{3}\text{의 계산}$$

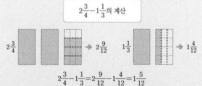

$2\frac{3}{4}$ → $2\frac{9}{12}$ $1\frac{1}{3}$ → $1\frac{4}{12}$

$$2\frac{3}{4}-1\frac{1}{3}=2\frac{9}{12}-1\frac{4}{12}=1\frac{5}{12}$$

방법1 자연수는 자연수끼리, 분수는 분수끼리 계산하기

$$2\frac{3}{4}-1\frac{1}{3}=2\frac{9}{12}-1\frac{4}{12}=(2-1)+\left(\frac{9}{12}-\frac{4}{12}\right)=1+\frac{5}{12}=1\frac{5}{12}$$

방법2 대분수를 가분수로 나타내어 계산하기

$$2\frac{3}{4}-1\frac{1}{3}=\frac{11}{4}-\frac{4}{3}=\frac{33}{12}-\frac{16}{12}=\frac{17}{12}=1\frac{5}{12}$$

10 · Run - C 5-1

개념 확인 문제

정답과 풀이 p.2

5-1 그림을 보고 □ 안에 알맞은 수를 써넣으세요.

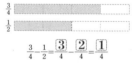

$\frac{3}{4}$

$\frac{1}{2}$

$$\frac{3}{4}-\frac{1}{2}=\frac{3}{4}-\frac{2}{4}=\frac{1}{4}$$

5-2 계산해 보세요.

(1) $\frac{5}{7}-\frac{1}{6}=\frac{23}{42}$ ❖ (1) $\frac{5}{7}-\frac{1}{6}=\frac{30}{42}-\frac{7}{42}=\frac{23}{42}$

(2) $\frac{11}{15}-\frac{4}{9}=\frac{13}{45}$ (2) $\frac{11}{15}-\frac{4}{9}=\frac{33}{45}-\frac{20}{45}=\frac{13}{45}$

6-1 □ 안에 알맞은 수를 써넣으세요.

자연수는 자연수끼리 분수는 분수끼리 빼서 계산해요.

$$4\frac{2}{3}-1\frac{4}{7}=4\frac{14}{21}-1\frac{12}{21}=(4-1)+\left(\frac{14}{21}-\frac{12}{21}\right)$$
$$=3+\frac{2}{21}=3\frac{2}{21}$$

6-2 $8\frac{7}{10}$ L의 물이 들어 있는 통에서 물을 $4\frac{1}{5}$ L 뺐습니다. 남은 물은 몇 L인지 빈 곳에 써넣으세요.

$8\frac{7}{10}$ L $-4\frac{1}{5}$ L   ➡ $4\frac{1}{2}$ L

❖ $8\frac{7}{10}-4\frac{1}{5}=8\frac{7}{10}-4\frac{2}{10}=(8-4)+\left(\frac{7}{10}-\frac{2}{10}\right)$
$$=4\frac{5}{10}=4\frac{1}{2}\text{ (L)}$$

5. 분수의 덧셈과 뺄셈 · 11

① 교과서 개념 잡기

개념 7 받아내림이 있는 대분수의 뺄셈

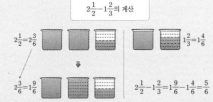

$2\frac{1}{2}-1\frac{2}{3}$의 계산

$2\frac{1}{2}=2\frac{3}{6}$ $1\frac{2}{3}=1\frac{4}{6}$

$2\frac{3}{6}=1\frac{9}{6}$ $2\frac{1}{2}-1\frac{2}{3}=1\frac{9}{6}-1\frac{4}{6}=\frac{5}{6}$

방법1 자연수는 자연수끼리, 분수는 분수끼리 계산하기

$2\frac{1}{2}-1\frac{2}{3}=2\frac{3}{6}-1\frac{4}{6}=1\frac{9}{6}-1\frac{4}{6}=(1-1)+\left(\frac{9}{6}-\frac{4}{6}\right)=\frac{5}{6}$

$2\frac{3}{6}$은 $1\frac{9}{6}$와 같아요.

방법2 대분수를 가분수로 나타내어 계산하기

$2\frac{1}{2}-1\frac{2}{3}=\frac{5}{2}-\frac{5}{3}=\frac{15}{6}-\frac{10}{6}=\frac{5}{6}$

개념 8 자연수와 대분수의 뺄셈

$2-1\frac{1}{6}$의 계산

방법1 자연수에서 1만큼을 1과 크기가 같은 분수로 만들어 계산하기

$2-1\frac{1}{6}=1\frac{6}{6}-1\frac{1}{6}$
$\qquad =(1-1)+\left(\frac{6}{6}-\frac{1}{6}\right)=\frac{5}{6}$

방법2 가분수로 나타내어 계산하기

$2-1\frac{1}{6}=\frac{12}{6}-\frac{7}{6}=\frac{5}{6}$

정답과 풀이 p.3

개념 확인 문제

7-1 □ 안에 알맞은 수를 써넣으세요.

$4\frac{1}{4}-2\frac{7}{9}=4\frac{9}{36}-2\frac{28}{36}=3\frac{45}{36}-2\frac{28}{36}$

$=(3-2)+\left(\frac{45}{36}-\frac{28}{36}\right)=1+\frac{17}{36}=1\frac{17}{36}$

✿ 공통분모가 36이므로 분모에 어떤 수를 곱하였는지 알아보고 분자에도 같은 수를 곱합니다.

7-2 보기 와 같이 계산해 보세요.

보기 $4\frac{1}{5}-1\frac{2}{3}=\frac{21}{5}-\frac{5}{3}=\frac{63}{15}-\frac{25}{15}=\frac{38}{15}=2\frac{8}{15}$

가분수로 나타내고 통분하여 계산했어요.

$5\frac{1}{6}-3\frac{4}{5}=\frac{31}{6}-\frac{19}{5}=\frac{155}{30}-\frac{114}{30}=\frac{41}{30}=1\frac{11}{30}$

7-3 계산해 보세요.

(1) $3\frac{1}{3}-1\frac{3}{7}=1\frac{19}{21}$

✿ (1) $3\frac{1}{3}-1\frac{3}{7}=3\frac{7}{21}-1\frac{9}{21}$
$\qquad =2\frac{28}{21}-1\frac{9}{21}=1\frac{19}{21}$

(2) $3\frac{5}{8}-2\frac{2}{3}=\frac{23}{24}$

(2) $3\frac{5}{8}-2\frac{2}{3}=3\frac{15}{24}-2\frac{16}{24}=2\frac{39}{24}-2\frac{16}{24}=\frac{23}{24}$

8-1 두 수의 차를 구해 보세요.

$5 \qquad 2\frac{2}{9}$

($2\frac{7}{9}$)

✿ $5-2\frac{2}{9}=4\frac{9}{9}-2\frac{2}{9}=(4-2)+\left(\frac{9}{9}-\frac{2}{9}\right)=2+\frac{7}{9}=2\frac{7}{9}$

PLAY 교과서 개념 스토리 — 레몬청 만들기

레몬에 설탕을 넣어 레몬청을 만들고 있어요. 만들어진 레몬청의 무게에 맞는 붙임딱지를 붙여 보세요.

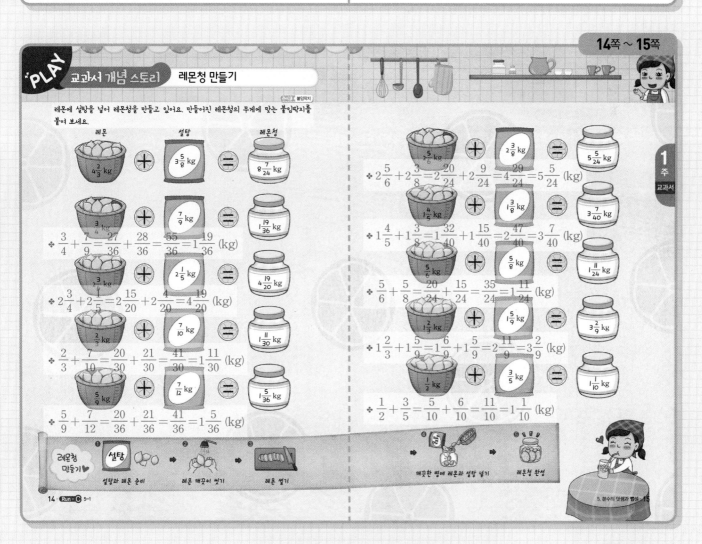

✿ $\frac{3}{4}+\frac{7}{9}=\frac{27}{36}+\frac{28}{36}=\frac{55}{36}=1\frac{19}{36}$ (kg)

✿ $2\frac{3}{4}+2\frac{1}{5}=2\frac{15}{20}+2\frac{4}{20}=4\frac{19}{20}$ (kg)

✿ $\frac{2}{3}+\frac{7}{10}=\frac{20}{30}+\frac{21}{30}=\frac{41}{30}=1\frac{11}{30}$ (kg)

✿ $\frac{5}{9}+\frac{7}{12}=\frac{20}{36}+\frac{21}{36}=\frac{41}{36}=1\frac{5}{36}$ (kg)

✿ $2\frac{5}{6}+2\frac{3}{8}=2\frac{20}{24}+2\frac{9}{24}=4\frac{29}{24}=5\frac{5}{24}$ (kg)

✿ $1\frac{4}{5}+1\frac{3}{8}=1\frac{32}{40}+1\frac{15}{40}=2\frac{47}{40}=3\frac{7}{40}$ (kg)

✿ $\frac{5}{6}+\frac{5}{8}=\frac{20}{24}+\frac{15}{24}=\frac{35}{24}=1\frac{11}{24}$ (kg)

✿ $1\frac{2}{3}+1\frac{5}{9}=1\frac{6}{9}+1\frac{5}{9}=2\frac{11}{9}=3\frac{2}{9}$ (kg)

✿ $\frac{1}{2}+\frac{3}{5}=\frac{5}{10}+\frac{6}{10}=\frac{11}{10}=1\frac{1}{10}$ (kg)

레몬청 만들기 ♥
① 설탕 → 설탕과 레몬 준비
② 레몬 깨끗이 씻기
③ 레몬 썰기
④ 깨끗한 병에 레몬과 설탕 넣기
레몬청 완성

PLAY 교과서 개념 스토리 다리 완성하기

기차가 강을 건널 수 있게 다리를 놓아 주세요. 알맞은 길이의 다리 붙임딱지를 찾아 붙여 주세요.

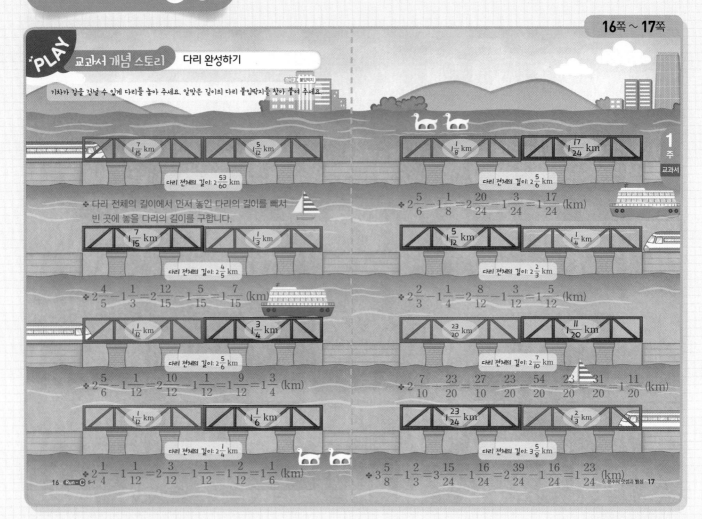

❖ 다리 전체의 길이에서 먼저 놓인 다리의 길이를 빼서 빈 곳에 놓을 다리의 길이를 구합니다.

❖ $2\frac{4}{5}-1\frac{1}{3}=2\frac{12}{15}-1\frac{5}{15}=1\frac{7}{15}$ (km)

❖ $2\frac{5}{6}-1\frac{1}{12}=2\frac{10}{12}-1\frac{1}{12}=1\frac{9}{12}=1\frac{3}{4}$ (km)

❖ $2\frac{1}{4}-1\frac{1}{12}=2\frac{3}{12}-1\frac{1}{12}=1\frac{2}{12}=1\frac{1}{6}$ (km)

❖ $2\frac{5}{6}-1\frac{1}{8}=2\frac{20}{24}-1\frac{3}{24}=1\frac{17}{24}$ (km)

❖ $2\frac{2}{3}-1\frac{1}{4}=2\frac{8}{12}-1\frac{3}{12}=1\frac{5}{12}$ (km)

❖ $2\frac{7}{10}-\frac{23}{20}=\frac{27}{10}-\frac{23}{20}=\frac{54}{20}-\frac{23}{20}=\frac{31}{20}=1\frac{11}{20}$ (km)

❖ $3\frac{5}{8}-1\frac{2}{3}=3\frac{15}{24}-1\frac{16}{24}=2\frac{39}{24}-1\frac{16}{24}=1\frac{23}{24}$ (km)

16 · Run - C 5-1

5. 분수의 덧셈과 뺄셈 · 17

2단계 교과서 개념 다지기

정답과 풀이 p.4

개념1 받아올림이 없는 진분수의 덧셈

01 그림을 보고 □ 안에 알맞은 수를 써넣으세요.

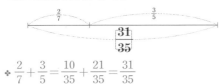

$\boxed{\dfrac{31}{35}}$

❖ $\frac{2}{7}+\frac{3}{5}=\frac{10}{35}+\frac{21}{35}=\frac{31}{35}$

02 계산 결과가 큰 것부터 순서대로 기호를 써 보세요.

| ㉠ $\frac{1}{3}+\frac{1}{4}$ | ㉡ $\frac{2}{3}+\frac{1}{6}$ | ㉢ $\frac{1}{6}+\frac{3}{8}$ |

(㉡, ㉠, ㉢)

❖ ㉠ $\frac{1}{3}+\frac{1}{4}=\frac{4}{12}+\frac{3}{12}=\frac{7}{12}=\frac{14}{24}$

㉡ $\frac{2}{3}+\frac{1}{6}=\frac{4}{6}+\frac{1}{6}=\frac{5}{6}=\frac{20}{24}$

㉢ $\frac{1}{6}+\frac{3}{8}=\frac{4}{24}+\frac{9}{24}=\frac{13}{24}$

→ $\frac{20}{24}>\frac{14}{24}>\frac{13}{24}$

03 진주는 동화책을 어제는 전체의 $\frac{1}{4}$을 읽었고, 오늘은 전체의 $\frac{2}{5}$를 읽었습니다. 진주가 어제와 오늘 동화책을 읽은 양은 전체의 얼마인지 분수로 나타내어 보세요.

($\frac{13}{20}$)

❖ (어제와 오늘 읽은 동화책의 양)
= (어제 읽은 동화책의 양)+(오늘 읽은 동화책의 양)
= $\frac{1}{4}+\frac{2}{5}=\frac{5}{20}+\frac{8}{20}=\frac{13}{20}$

18 · Run - C 5-1

개념2 받아올림이 있는 진분수의 덧셈

04 두 끈의 길이의 합은 몇 m일까요?

($1\frac{17}{24}$ m)

❖ $\frac{7}{8}+\frac{5}{6}=\frac{21}{24}+\frac{20}{24}=\frac{41}{24}=1\frac{17}{24}$ (m)

05 계산이 잘못된 곳을 찾아 ○표 하고 바르게 계산해 보세요.

$\frac{2}{3}+\frac{4}{7}=\frac{14}{21}+\frac{12}{21}=\boxed{\frac{26}{42}}$

→ $\frac{2}{3}+\frac{4}{7}=\frac{14}{21}+\frac{12}{21}=\frac{26}{21}=1\frac{5}{21}$

❖ 두 분수를 통분한 후 통분한 분모는 그대로 두고 분자끼리만 더해야 합니다.

06 관계있는 것끼리 선으로 이어 보세요.

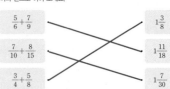

$\frac{5}{6}+\frac{7}{9}$		$1\frac{3}{8}$
$\frac{7}{10}+\frac{8}{15}$		$1\frac{11}{18}$
$\frac{3}{4}+\frac{5}{8}$		$1\frac{7}{30}$

❖ · $\frac{5}{6}+\frac{7}{9}=\frac{15}{18}+\frac{14}{18}=\frac{29}{18}=1\frac{11}{18}$

· $\frac{7}{10}+\frac{8}{15}=\frac{21}{30}+\frac{16}{30}=\frac{37}{30}=1\frac{7}{30}$

· $\frac{3}{4}+\frac{5}{8}=\frac{6}{8}+\frac{5}{8}=\frac{11}{8}=1\frac{3}{8}$

5. 분수의 덧셈과 뺄셈 · 19

 **2단계 교과서 개념 다지기**

정답과 풀이 p.5

개념3 받아올림이 있는 대분수의 덧셈

07 직사각형의 가로와 세로의 합은 몇 m인지 구해 보세요.

$1\frac{5}{9}$ m

$2\frac{7}{12}$ m

($4\frac{5}{36}$ m)

❖ $2\frac{7}{12}+1\frac{5}{9}=2\frac{21}{36}+1\frac{20}{36}=3\frac{41}{36}=4\frac{5}{36}$ (m)

08 다음 분수 중에서 가장 큰 수와 두 번째로 큰 수의 합을 구해 보세요.

$2\frac{13}{21}$　　$3\frac{6}{7}$　　$1\frac{4}{5}$

($6\frac{10}{21}$)

❖ 가장 큰 수: $3\frac{6}{7}$, 두 번째로 큰 수: $2\frac{13}{21}$

$3\frac{6}{7}+2\frac{13}{21}=3\frac{18}{21}+2\frac{13}{21}=5\frac{31}{21}=6\frac{10}{21}$

09 □ 안에 알맞은 수를 구해 보세요.

□$-1\frac{3}{4}=2\frac{3}{10}$

($4\frac{1}{20}$)

❖ □$=2\frac{3}{10}+1\frac{3}{4}=2\frac{6}{20}+1\frac{15}{20}=3\frac{21}{20}=4\frac{1}{20}$

20 · Run - C 5-1

개념4 진분수의 뺄셈

10 $\frac{1}{2}$과 $\frac{1}{3}$을 각각 그림에 색칠하고 $\frac{1}{2}-\frac{1}{3}$을 계산해 보세요.

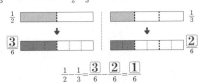

$\frac{1}{2}$　　　　$\frac{1}{3}$

↓　　　　　↓

$\boxed{\frac{3}{6}}$　　　$\boxed{\frac{2}{6}}$

$\frac{1}{2}-\frac{1}{3}=\boxed{\frac{3}{6}}-\boxed{\frac{2}{6}}=\boxed{\frac{1}{6}}$

11 두 수의 차를 구해 보세요.

$\frac{5}{11}$　　$\frac{4}{7}$

($\frac{9}{77}$)

❖ $\frac{4}{7}-\frac{5}{11}=\frac{44}{77}-\frac{35}{77}=\frac{9}{77}$

12 $\frac{5}{6}$보다 $\frac{3}{8}$만큼 더 작은 수를 구해 보세요.

($\frac{11}{24}$)

❖ $\frac{5}{6}-\frac{3}{8}=\frac{20}{24}-\frac{9}{24}=\frac{11}{24}$

13 딸기를 영호는 $\frac{7}{12}$ kg, 가은이는 $\frac{3}{8}$ kg 땄습니다. 영호는 가은이보다 딸기를 몇 kg 더 땄습니까?

($\frac{5}{24}$ kg)

❖ (영호가 딴 딸기의 무게)−(가은이가 딴 딸기의 무게)
$=\frac{7}{12}-\frac{3}{8}=\frac{14}{24}-\frac{9}{24}=\frac{5}{24}$ (kg)

5. 분수의 덧셈과 뺄셈 · 21

1주 교과서

2단계 교과서 개념 다지기

정답과 풀이 p.5

개념5 받아내림이 없는 대분수의 뺄셈

14 승호가 가지고 있는 재활용 종이 $5\frac{2}{9}$ kg 중에서 $2\frac{1}{6}$ kg을 팔았다면 승호에게 남은 재활용 종이는 몇 kg일까요?

($3\frac{1}{18}$ kg)

❖ (남은 재활용 종이의 무게)
$=5\frac{2}{9}-2\frac{1}{6}=5\frac{4}{18}-2\frac{3}{18}=3\frac{1}{18}$ (kg)

15 빈 곳에 알맞은 수를 써넣으세요.

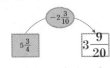

$5\frac{3}{4}$　$\xrightarrow{-2\frac{3}{10}}$　$\boxed{3\frac{9}{20}}$

❖ $5\frac{3}{4}-2\frac{3}{10}=5\frac{15}{20}-2\frac{6}{20}=3\frac{9}{20}$

16 혜미네 동네에는 서점이 2개 있습니다. 혜미네 집에서 어느 서점이 몇 km 더 가까울까요?

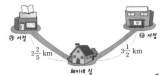

㉮ 서점　　㉯ 서점

$2\frac{2}{5}$ km　　$3\frac{1}{2}$ km

혜미네 집

(㉮ 서점), ($1\frac{1}{10}$ km)

❖ $3\frac{1}{2}-2\frac{2}{5}=3\frac{5}{10}-2\frac{4}{10}=1\frac{1}{10}$ (km)

22 · Run - C 5-1

개념6 받아내림이 있는 대분수의 뺄셈

17 계산 결과를 비교하여 ○ 안에 >, =, <를 알맞게 써넣으세요.

$5\frac{7}{10}-2\frac{4}{5}$ ◯$<$ $5\frac{1}{4}-2\frac{3}{10}$

❖ · $5\frac{7}{10}-2\frac{4}{5}=5\frac{7}{10}-2\frac{8}{10}=4\frac{17}{10}-2\frac{8}{10}=2\frac{9}{10}=2\frac{18}{20}$
　· $5\frac{1}{4}-2\frac{3}{10}=5\frac{5}{20}-2\frac{6}{20}=4\frac{25}{20}-2\frac{6}{20}=2\frac{19}{20}$

18 $3\frac{1}{2}-1\frac{4}{5}$을 두 가지 방법으로 계산해 보세요.

방법1 자연수는 자연수끼리, 분수는 분수끼리 계산하기
$3\frac{1}{2}-1\frac{4}{5}=3\frac{5}{10}-1\frac{8}{10}=2\frac{15}{10}-1\frac{8}{10}$
$=(2-1)+\left(\frac{15}{10}-\frac{8}{10}\right)=1+\frac{7}{10}=1\frac{7}{10}$

방법2 대분수를 가분수로 나타내어 계산하기
$3\frac{1}{2}-1\frac{4}{5}=\frac{7}{2}-\frac{9}{5}=\frac{35}{10}-\frac{18}{10}=\frac{17}{10}=1\frac{7}{10}$

19 어떤 수에 $2\frac{8}{9}$을 더했더니 $6\frac{7}{12}$이 되었습니다. 어떤 수를 구해 보세요.

($3\frac{25}{36}$)

❖ 어떤 수를 □라고 하면 □$+2\frac{8}{9}=6\frac{7}{12}$입니다.
□$=6\frac{7}{12}-2\frac{8}{9}=6\frac{21}{36}-2\frac{32}{36}=5\frac{57}{36}-2\frac{32}{36}=3\frac{25}{36}$

20 가장 긴 변은 가장 짧은 변보다 몇 cm 더 길까요?

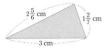

$2\frac{5}{6}$ cm　　$1\frac{2}{7}$ cm

3 cm

($1\frac{5}{7}$ cm)

❖ $3-1\frac{2}{7}=2\frac{7}{7}-1\frac{2}{7}=1\frac{5}{7}$ (cm)

5. 분수의 덧셈과 뺄셈 · 23

1주 교과서

정답과 풀이 · 5

3단계 교과서 실력 다지기

정답과 풀이 p.6

★ 수 카드로 분수를 만들어 계산하기

1 다음 수 카드를 한 번씩만 사용하여 만들 수 있는 분수 중에서 가장 큰 대분수와 가장 작은 대분수의 합을 구해 보세요.

$\boxed{2}$ $\boxed{5}$ $\boxed{7}$

답 $10\frac{4}{35}$

개념 피드백
• 가장 큰 대분수를 만들 때에는 자연수 부분에 가장 큰 수를 놓고 나머지 수로 진분수 부분을 만듭니다.
• 가장 작은 대분수를 만들 때에는 자연수 부분에 가장 작은 수를 놓고 나머지 수로 진분수 부분을 만듭니다.

❖ 만들 수 있는 가장 큰 대분수: $7\frac{2}{5}$, 만들 수 있는 가장 작은 대분수: $2\frac{5}{7}$

$7\frac{2}{5}+2\frac{5}{7}=7\frac{14}{35}+2\frac{25}{35}=9\frac{39}{35}=10\frac{4}{35}$

1-1 수 카드 $\boxed{1}$ $\boxed{3}$ $\boxed{4}$ 를 한 번씩만 사용하여 만들 수 있는 분수 중에서 가장 큰 대분수와 가장 작은 대분수의 합을 구해 보세요.

($6\frac{1}{12}$)

❖ 만들 수 있는 가장 큰 대분수: $4\frac{1}{3}$, 만들 수 있는 가장 작은 대분수: $1\frac{3}{4}$

➜ $4\frac{1}{3}+1\frac{3}{4}=4\frac{4}{12}+1\frac{9}{12}=5\frac{13}{12}=6\frac{1}{12}$

1-2 다음 수 카드를 한 번씩만 사용하여 만들 수 있는 분수 중에서 가장 큰 대분수와 가장 작은 대분수의 차를 구해 보세요.

$\boxed{2}$ $\boxed{7}$ $\boxed{9}$

($6\frac{32}{63}$)

❖ 만들 수 있는 가장 큰 대분수: $9\frac{2}{7}$, 만들 수 있는 가장 작은 대분수: $2\frac{7}{9}$

➜ $9\frac{2}{7}-2\frac{7}{9}=9\frac{18}{63}-2\frac{49}{63}=8\frac{81}{63}-2\frac{49}{63}=6\frac{32}{63}$

★ 바르게 계산한 값 구하기

2 어떤 수에서 $1\frac{3}{7}$을 빼야 할 것을 잘못하여 더했더니 $4\frac{2}{3}$가 되었습니다. 바르게 계산한 값을 구해 보세요.

답 $1\frac{17}{21}$

개념 피드북
• 바르게 계산한 값 구하는 방법
① 어떤 수를 □로 놓고 잘못 계산하여 결과가 나온 식을 세웁니다.
② 어떤 수를 구합니다.
③ 바르게 계산한 값을 구합니다.

❖ $\Box+1\frac{3}{7}=4\frac{2}{3}$ ➜ $\Box=4\frac{2}{3}-1\frac{3}{7}=4\frac{14}{21}-1\frac{9}{21}=3\frac{5}{21}$

$3\frac{5}{21}-1\frac{3}{7}=3\frac{5}{21}-1\frac{9}{21}=2\frac{26}{21}-1\frac{9}{21}=1\frac{17}{21}$

2-1 어떤 수에 $2\frac{5}{8}$를 더해야 할 것을 잘못하여 뺐더니 $1\frac{7}{12}$이 되었습니다. 바르게 계산한 값을 구해 보세요.

($6\frac{5}{6}$)

❖ $\Box-2\frac{5}{8}=1\frac{7}{12}$ ➜ $\Box=1\frac{7}{12}+2\frac{5}{8}=1\frac{14}{24}+2\frac{15}{24}=3\frac{29}{24}=4\frac{5}{24}$

$4\frac{5}{24}+2\frac{5}{8}=4\frac{5}{24}+2\frac{15}{24}=6\frac{20}{24}=6\frac{5}{6}$

2-2 어떤 수에서 $1\frac{3}{4}$을 빼야 할 것을 잘못하여 더했더니 $4\frac{5}{7}$가 되었습니다. 바르게 계산한 값을 구해 보세요.

($1\frac{3}{14}$)

❖ $\Box+1\frac{3}{4}=4\frac{5}{7}$ ➜ $\Box=4\frac{5}{7}-1\frac{3}{4}=4\frac{20}{28}-1\frac{21}{28}=3\frac{48}{28}-1\frac{21}{28}=2\frac{27}{28}$

$2\frac{27}{28}-1\frac{3}{4}=2\frac{27}{28}-1\frac{21}{28}=1\frac{6}{28}=1\frac{3}{14}$

3단계 교과서 실력 다지기

정답과 풀이 p.6

★ □ 안에 들어갈 수 있는 자연수 구하기

3 □ 안에 들어갈 수 있는 자연수 중 가장 큰 수를 구해 보세요.

$\frac{2}{3}+\frac{1}{5}>\frac{\Box}{10}$

답 8

개념 피드백
• □ 안에 들어갈 수 있는 자연수 구하는 방법
① 분수의 계산을 합니다.
② 통분하고 분자의 크기를 비교합니다.

❖ $\frac{2}{3}+\frac{1}{5}=\frac{10}{15}+\frac{3}{15}=\frac{13}{15}$

$\frac{13}{15}>\frac{\Box}{10}$ ➜ $\frac{26}{30}>\frac{\Box\times3}{30}$

➜ $\Box=1, 2, 3, 4, 5, 6, 7, 8$
따라서 가장 큰 수는 8입니다.

3-1 □ 안에 들어갈 수 있는 자연수를 모두 구해 보세요.

$\frac{5}{12}+1\frac{1}{4}>\frac{\Box}{3}$

(1, 2, 3, 4)

❖ $\frac{5}{12}+1\frac{1}{4}=\frac{5}{12}+1\frac{3}{12}=1\frac{8}{12}=1\frac{2}{3}$

➜ $1\frac{2}{3}>\frac{\Box}{3}$ ➜ $\frac{5}{3}>\frac{\Box}{3}$ ➜ $\Box=1, 2, 3, 4$

3-2 □ 안에 들어갈 수 있는 자연수를 모두 구해 보세요.

$\frac{\Box}{8}<\frac{3}{4}-\frac{1}{3}$

(1, 2, 3)

❖ $\frac{3}{4}-\frac{1}{3}=\frac{9}{12}-\frac{4}{12}=\frac{5}{12}$

➜ $\frac{\Box}{8}<\frac{5}{12}$ ➜ $\frac{\Box\times3}{24}<\frac{10}{24}$ ➜ $\Box=1, 2, 3$

★ 조건에 맞는 식을 만들어 계산하기

4 합이 가장 큰 두 분수를 골라 덧셈식을 만들고 계산해 보세요.

$3\frac{2}{7}$ $1\frac{3}{4}$ $1\frac{5}{6}$

답 $3\frac{2}{7}+1\frac{5}{6}$ = $5\frac{5}{42}$

두 분수를 바꾸어 써도 정답입니다.

개념 피드백
• 합이 가장 크려면 가장 큰 수와 두 번째로 큰 수를 더해야 합니다.
• 차가 가장 크려면 가장 큰 수에서 가장 작은 수를 빼야 합니다.

❖ $3\frac{2}{7}>1\frac{5}{6}>1\frac{3}{4}$ ➜ $3\frac{2}{7}+1\frac{5}{6}=3\frac{12}{42}+1\frac{35}{42}=4\frac{47}{42}=5\frac{5}{42}$

■ > ▲ > ★ 에서 차가 가장 크려면 ■ − ★ 을 계산해야 해요.

4-1 차가 가장 큰 두 분수를 골라 뺄셈식을 만들고 계산해 보세요.

$4\frac{5}{8}$ $2\frac{7}{12}$ $2\frac{2}{9}$

답 $4\frac{5}{8}-2\frac{2}{9}$ = $2\frac{29}{72}$

❖ 차가 가장 크려면 가장 큰 수에서 가장 작은 수를 빼야 합니다.

$4\frac{5}{8}>2\frac{7}{12}>2\frac{2}{9}$ ➜ $4\frac{5}{8}-2\frac{2}{9}=4\frac{45}{72}-2\frac{16}{72}=2\frac{29}{72}$

4-2 합이 가장 큰 두 분수를 골라 덧셈식을 만들고 계산해 보세요.

$1\frac{4}{5}$ $2\frac{2}{15}$ $1\frac{7}{9}$

답 $2\frac{2}{15}+1\frac{4}{5}$ = $3\frac{14}{15}$

두 분수를 바꾸어 써도 정답입니다.

❖ $2\frac{2}{15}>1\frac{4}{5}>1\frac{7}{9}$

➜ $2\frac{2}{15}+1\frac{4}{5}=2\frac{2}{15}+1\frac{12}{15}=3\frac{14}{15}$

1주 교과서

③ 교과서 실력 다지기

정답과 풀이 p.7

★ 분수의 덧셈과 뺄셈을 이용하여 시간 계산하기

5 영지는 $2\frac{1}{2}$시간 동안 수학 공부를 하고, 1시간 20분 동안 과학 공부를 하였습니다. 영지가 공부한 시간은 모두 몇 시간인지 구해 보세요.

답 $3\frac{5}{6}$시간

개념 피드백 1분=$\frac{1}{60}$시간임을 이용하여 ●시간 ■분을 ●$\frac{■}{60}$시간으로 나타낼 수 있습니다.

1시간 20분 ➡ 1시간+$\frac{20}{60}$시간=1$\frac{20}{60}$시간

❖ 1시간 20분=1$\frac{20}{60}$시간=1$\frac{1}{3}$시간

$2\frac{1}{2}+1\frac{1}{3}=2\frac{3}{6}+1\frac{2}{6}=3\frac{5}{6}$(시간)

5-1 현장 학습장에 가는 데 윤주는 1시간 50분, 동현이는 1$\frac{7}{8}$시간이 걸렸습니다. 현장 학습장에 가는 데 누가 몇 시간 더 오래 걸렸을까요?

답 **동현**, $\boxed{\frac{1}{24}}$시간

❖ • 1시간 50분=1$\frac{50}{60}$시간=1$\frac{5}{6}$시간

• 1$\frac{7}{8}=1\frac{21}{24}$이고 1$\frac{5}{6}=1\frac{20}{24}$이므로 동현이가

$1\frac{7}{8}-1\frac{5}{6}=1\frac{21}{24}-1\frac{20}{24}=\frac{1}{24}$(시간) 더 걸렸습니다.

5-2 가은이는 할머니 댁에 가기 위해 2시간 15분 동안 버스를 타고 1$\frac{2}{5}$시간 동안 기차를 탔습니다. 가은이가 할머니 댁에 가는 데 버스와 기차를 타고 간 시간은 모두 몇 시간일까요?

답 $3\frac{13}{20}$시간

❖ 2시간 15분=2$\frac{15}{60}$시간=2$\frac{1}{4}$시간

➡ $2\frac{1}{4}+1\frac{2}{5}=2\frac{5}{20}+1\frac{8}{20}=3\frac{13}{20}$(시간)

28 · Run-C 5-1

★ 주어진 분수를 단위분수의 합으로 나타내기

6 $\frac{8}{15}$을 서로 다른 두 단위분수의 합으로 나타내어 보세요. (단, 단위분수의 분모는 15보다 작습니다.)

$\frac{8}{15}=\frac{1}{\boxed{5}}+\frac{1}{\boxed{3}}$

두 수를 바꾸어 써도 정답입니다.

개념 피드백 $\frac{▲}{■}$를 단위분수의 합으로 나타내기

① 분모(■)의 약수 중에서 합이 분자(▲)와 같은 두 수를 찾아봅니다.

이 두 수를 ⊙, ⓛ이라고 하면 $\frac{▲}{■}=\frac{⊙}{■}+\frac{ⓛ}{■}$으로 나타낼 수 있습니다.

② $\frac{⊙}{■}$과 $\frac{ⓛ}{■}$을 약분하여 단위분수로 나타냅니다.

❖ 15의 약수: 1, 3, 5, 15

15의 약수 중 합이 8인 두 수를 찾으면 3, 5입니다.

$\frac{8}{15}=\frac{3}{15}+\frac{5}{15}=\frac{1}{5}+\frac{1}{3}$

6-1 $\frac{3}{8}$을 분모가 서로 다른 두 단위분수의 합으로 나타내려고 합니다. □ 안에 알맞은 수를 써넣으세요. (단, 단위분수의 분모는 10보다 작습니다.)

$\frac{3}{8}=\frac{1}{\boxed{8}}+\frac{1}{\boxed{4}}$ 두 수를 바꾸어 써도 정답입니다.

❖ 8의 약수 1, 2, 4, 8 중 합이 3인 두 수는 1과 2입니다.

$\frac{3}{8}=\frac{1}{8}+\frac{2}{8}=\frac{1}{8}+\frac{1}{4}$

6-2 $\frac{11}{28}$을 분모가 서로 다른 두 단위분수의 합으로 나타내려고 합니다. □안에 알맞은 수를 써넣으세요. (단, 단위분수의 분모는 28보다 작습니다.)

$\frac{11}{28}=\frac{1}{\boxed{7}}+\frac{1}{\boxed{4}}$ 두 수를 바꾸어 써도 정답입니다.

❖ 28의 약수 1, 2, 4, 7, 14, 28 중 합이 11인 두 수는 4와 7입니다.

$\frac{11}{28}=\frac{4}{28}+\frac{7}{28}=\frac{1}{7}+\frac{1}{4}$

1주 교과서

Test 교과서 서술형 연습

정답과 풀이 p.7

1 소영이는 주스를 $\frac{7}{15}$ L 마셨고, 은아는 소영이보다 $\frac{2}{5}$ L 더 많이 마셨습니다. 소영이와 은아가 마신 주스는 모두 몇 L인지 구해 보세요.

✎ 구하려는 것, 주어진 것에 선을 그어 봅니다.

해결하기 은아가 마신 주스의 양은

$\frac{7}{15}+\frac{\boxed{2}}{5}=\frac{7}{15}+\frac{\boxed{6}}{15}=\frac{\boxed{13}}{15}$(L)입니다.

따라서 소영이와 은아가 마신 주스는 모두

$\frac{7}{15}+\frac{\boxed{13}}{15}=\frac{\boxed{20}}{15}=\boxed{1}\frac{\boxed{1}}{3}$(L)입니다.

답 구하기 $1\frac{1}{3}$ L

2 귤 농장에서 혜미는 귤을 2$\frac{5}{6}$ kg 땄고, 건우는 혜미보다 1$\frac{2}{9}$ kg 더 적게 땄습니다. 두 사람이 딴 귤은 모두 몇 kg인지 구하세요.
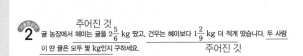

✎ 구하려는 것, 주어진 것에 선을 그어 봅니다.

해결하기 예 건우가 딴 귤의 무게는

$2\frac{5}{6}-1\frac{2}{9}=2\frac{15}{18}-1\frac{4}{18}=1\frac{11}{18}$ (kg)입니다.

따라서 두 사람이 딴 귤의 무게는

$2\frac{5}{6}+1\frac{11}{18}=2\frac{15}{18}+1\frac{11}{18}=3\frac{26}{18}=4\frac{8}{18}$

$=4\frac{4}{9}$ (kg)입니다.

답 구하기 $4\frac{4}{9}$ kg

30 · Run-C 5-1

3 가은이네 가족은 가족 여행 때 먹을 돼지고기 3$\frac{2}{3}$ kg과 소고기 1$\frac{5}{8}$ kg을 샀습니다. 이 중에서 2$\frac{1}{4}$ kg을 먹었다면 남은 고기는 몇 kg인지 구해 보세요.

✎ 구하려는 것, 주어진 것에 선을 그어 봅니다.

해결하기 가은이네 가족이 산 고기의 무게는

$3\frac{2}{3}+1\frac{5}{8}=3\frac{16}{24}+1\frac{15}{24}=4\frac{31}{24}=5\frac{7}{24}$ (kg)입니다.

이 중 2$\frac{1}{4}$ kg을 먹었으므로 남은 고기는

$5\frac{7}{24}-2\frac{1}{4}=5\frac{7}{24}-2\frac{6}{24}=3\frac{1}{24}$ (kg)입니다.

답 구하기 $3\frac{1}{24}$ kg

4 연규는 파란색 테이프 $\frac{11}{12}$ m와 빨간색 테이프 $\frac{5}{9}$ m를 가지고 있었습니다. 미술 시간에 가지고 있던 색 테이프 중에서 $\frac{3}{4}$ m를 사용했다면 연규에게 남은 색 테이프는 몇 m인지 구해 보세요.

✎ 구하려는 것, 주어진 것에 선을 그어 봅니다.

해결하기 예 연규가 가지고 있던 색 테이프의 길이는

(파란색 테이프)+(빨간색 테이프)

$=\frac{11}{12}+\frac{5}{9}=\frac{33}{36}+\frac{20}{36}=\frac{53}{36}=1\frac{17}{36}$ (m)입니다.

이 중 $\frac{3}{4}$ m를 사용했으므로 남은 색 테이프는

$1\frac{17}{36}-\frac{3}{4}=1\frac{17}{36}-\frac{27}{36}$

$=\frac{53}{36}-\frac{27}{36}=\frac{26}{36}=\frac{13}{18}$ (m)입니다.

답 구하기 $\frac{13}{18}$ m

1주 교과서

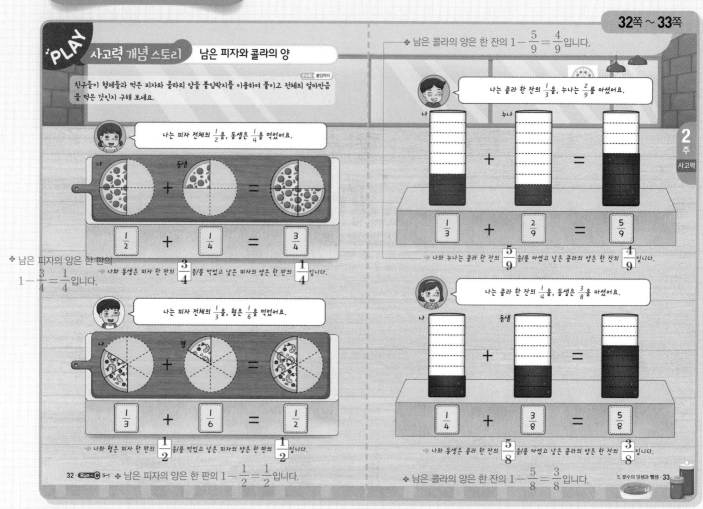

$$2 \; 주$$ 사고력

PLAY 사고력 개념 스토리 | **남은 피자와 콜라의 양**

친구들이 형제들과 먹은 피자와 콜라의 양을 붙임딱지를 이용하여 붙이고 전체의 얼마만큼을 먹은 것인지 구해 보세요.

나는 피자 전체의 $\frac{1}{2}$을, 동생은 $\frac{1}{4}$을 먹었어요.

$$\boxed{\tfrac{1}{2}} + \boxed{\tfrac{1}{4}} = \boxed{\tfrac{3}{4}}$$

→ 나와 동생은 피자 한 판의 $\frac{3}{4}$을/를 먹었고 남은 피자의 양은 한 판의 $\frac{1}{4}$입니다.

✿ 남은 피자의 양은 한 판의 $1 - \frac{3}{4} = \frac{1}{4}$입니다.

나는 피자 전체의 $\frac{1}{3}$을, 형은 $\frac{1}{6}$을 먹었어요.

$$\boxed{\tfrac{1}{3}} + \boxed{\tfrac{1}{6}} = \boxed{\tfrac{1}{2}}$$

→ 나와 형은 피자 한 판의 $\frac{1}{2}$을/를 먹었고 남은 피자의 양은 한 판의 $\frac{1}{2}$입니다.

32 · Run - C 5-1 ✿ 남은 피자의 양은 한 판의 $1 - \frac{1}{2} = \frac{1}{2}$입니다.

→ 남은 콜라의 양은 한 잔의 $1 - \frac{5}{9} = \frac{4}{9}$입니다.

나는 콜라 한 잔의 $\frac{1}{3}$을, 누나는 $\frac{2}{9}$를 마셨어요.

$$\boxed{\tfrac{1}{3}} + \boxed{\tfrac{2}{9}} = \boxed{\tfrac{5}{9}}$$

→ 나와 누나는 콜라 한 잔의 $\frac{5}{9}$을/를 마셨고 남은 콜라의 양은 한 잔의 $\frac{4}{9}$입니다.

나는 콜라 한 잔의 $\frac{1}{4}$을, 동생은 $\frac{3}{8}$을 마셨어요.

$$\boxed{\tfrac{1}{4}} + \boxed{\tfrac{3}{8}} = \boxed{\tfrac{5}{8}}$$

→ 나와 동생은 콜라 한 잔의 $\frac{5}{8}$을/를 마셨고 남은 콜라의 양은 한 잔의 $\frac{3}{8}$입니다.

✿ 남은 콜라의 양은 한 잔의 $1 - \frac{5}{8} = \frac{3}{8}$입니다.

5. 분수의 덧셈과 뺄셈 · 33

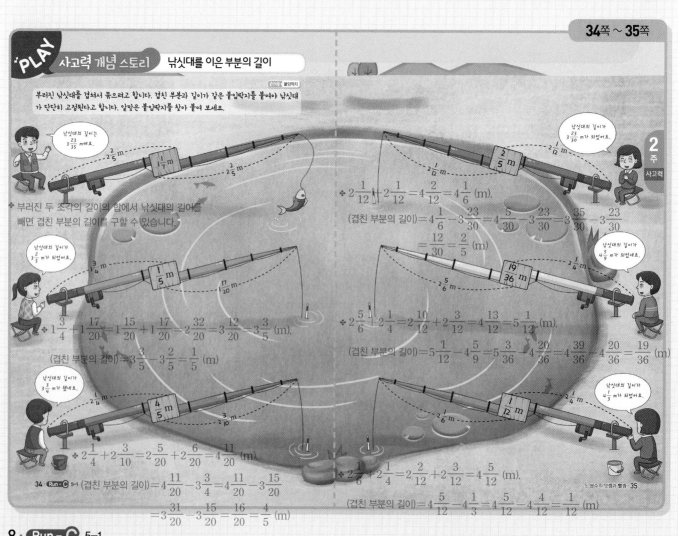

$$2 \; 주$$ 사고력

PLAY 사고력 개념 스토리 | **낚싯대를 이은 부분의 길이**

부러진 낚싯대를 겹쳐서 묶으려고 합니다. 겹친 부분과 길이가 같은 붙임딱지를 붙여서 낚싯대가 단단히 고정된다고 합니다. 알맞은 붙임딱지를 찾아 붙여 보세요.

✿ 부러진 두 조각의 길이의 합에서 낚싯대의 길이를 빼면 겹친 부분의 길이를 구할 수 있습니다.

✿ $2\frac{1}{12} + 2\frac{1}{12} = 4\frac{2}{12} = 4\frac{1}{6}$ (m),

(겹친 부분의 길이) $= 4\frac{1}{6} - 3\frac{23}{30} = 4\frac{5}{30} - 3\frac{23}{30} = 3\frac{35}{30} - 3\frac{23}{30}$

$= \frac{12}{30} = \frac{2}{5}$ (m)

✿ $1\frac{3}{4} + 1\frac{17}{20} = 1\frac{15}{20} + 1\frac{17}{20} = 2\frac{32}{20} = 3\frac{12}{20} = 3\frac{3}{5}$ (m),

(겹친 부분의 길이) $= 3\frac{3}{5} - 3\frac{2}{5} = \frac{1}{5}$ (m)

✿ $2\frac{5}{6} + 2\frac{1}{4} = 2\frac{10}{12} + 2\frac{3}{12} = 4\frac{13}{12} = 5\frac{1}{12}$ (m),

(겹친 부분의 길이) $= 5\frac{1}{12} - 4\frac{5}{9} = 5\frac{3}{36} - 4\frac{20}{36} = 4\frac{39}{36} - 4\frac{20}{36} = \frac{19}{36}$ (m)

34 · Run - C 5-1 (겹친 부분의 길이) $= 4\frac{11}{20} - 3\frac{3}{4} = 4\frac{11}{20} - 3\frac{15}{20}$

$= 3\frac{31}{20} - 3\frac{15}{20} = \frac{16}{20} = \frac{4}{5}$ (m)

✿ $2\frac{1}{4} + 2\frac{3}{10} = 2\frac{5}{20} + 2\frac{6}{20} = 4\frac{11}{20}$ (m),

✿ $2\frac{1}{6} + 2\frac{1}{4} = 2\frac{2}{12} + 2\frac{3}{12} = 4\frac{5}{12}$ (m),

(겹친 부분의 길이) $= 4\frac{5}{12} - 4\frac{1}{3} = 4\frac{5}{12} - 4\frac{4}{12} = \frac{1}{12}$ (m)

5. 분수의 덧셈과 뺄셈 · 35

1 단계 교과 사고력 잡기

정답과 풀이 p.9

1 진주와 경은이는 각자 키우고 있는 반려동물을 안고 저울에 올랐습니다. 누구의 반려동물이 몇 kg 더 무거운지 구해 보세요.

진주
$49\frac{7}{10}$ kg

경은
$50\frac{2}{3}$ kg

진주의 몸무게	경은이의 몸무게
$45\frac{1}{2}$ kg	$46\frac{5}{6}$ kg

❶ 진주의 반려동물의 무게는 몇 kg일까요?

($4\frac{1}{5}$ kg)

✿ (진주의 반려동물의 무게)

$$=49\frac{7}{10}-45\frac{1}{2}=49\frac{7}{10}-45\frac{5}{10}=4\frac{2}{10}=4\frac{1}{5} \text{ (kg)}$$

❷ 경은이의 반려동물의 무게는 몇 kg일까요?

($3\frac{5}{6}$ kg)

✿ (경은이의 반려동물의 무게)

$$=50\frac{2}{3}-46\frac{5}{6}=50\frac{4}{6}-46\frac{5}{6}=49\frac{10}{6}-46\frac{5}{6}=3\frac{5}{6} \text{ (kg)}$$

❸ 누구의 반려동물이 몇 kg 더 무거울까요?

(진주), ($\frac{11}{30}$ kg)

✿ $4\frac{1}{5}>3\frac{5}{6}$이므로 진주의 반려동물이

$$4\frac{1}{5}-3\frac{5}{6}=4\frac{6}{30}-3\frac{25}{30}=3\frac{36}{30}-3\frac{25}{30}=\frac{11}{30} \text{ (kg)}$$
더 무겁습니다.

2 동화책 2권의 무게를 재어 보니 $1\frac{2}{5}$ kg이고, 동화책 4권을 바구니에 넣어 무게를 재었더니 $3\frac{5}{7}$ kg이었습니다. 바구니의 무게를 알아보고, 바구니에 동화책 2권을 넣었을 때의 무게는 몇 kg인지 구해 보세요. (단, 동화책의 무게는 모두 같습니다.)

$1\frac{2}{5}$ kg

$3\frac{5}{7}$ kg

❶ 동화책 4권의 무게는 몇 kg일까요?

($2\frac{4}{5}$ kg)

✿ 2권의 무게가 $1\frac{2}{5}$ kg이므로 4권의 무게는

$$1\frac{2}{5}+1\frac{2}{5}=2\frac{4}{5} \text{ (kg)}$$입니다.

❷ 바구니의 무게는 몇 kg일까요?

($\frac{32}{35}$ kg)

✿ $3\frac{5}{7}-2\frac{4}{5}=3\frac{25}{35}-2\frac{28}{35}=2\frac{60}{35}-2\frac{28}{35}=\frac{32}{35} \text{ (kg)}$

❸ 동화책 2권을 바구니에 넣었을 때의 무게는 몇 kg일까요?

($2\frac{11}{35}$ kg)

✿ (동화책 2권의 무게)+(바구니의 무게)

$$=1\frac{2}{5}+\frac{32}{35}=1\frac{14}{35}+\frac{32}{35}=1\frac{46}{35}=2\frac{11}{35} \text{ (kg)}$$

[다른 풀이] (동화책 4권을 바구니에 넣었을 때의 무게)−(동화책 2권의 무게)

$$=3\frac{5}{7}-1\frac{2}{5}=3\frac{25}{35}-1\frac{14}{35}=2\frac{11}{35} \text{ (kg)}$$

---

1 단계 교과 사고력 잡기

정답과 풀이 p.9

3 재민이는 떡볶이를 만들려고 합니다. 떡볶이를 만드는 방법을 보고, 2인분을 만들기 위해 필요한 고추장과 설탕의 양은 모두 몇 큰술인지 구해 보세요.

떡볶이 만들기 – 1인분
- 재료: 떡 120 g, 어묵 30 g, 물 300 mL, 다진 파 10 g, 달걀 1개
- 양념장: 고추장 $2\frac{1}{3}$큰술, 설탕 $1\frac{2}{5}$큰술, 간장 $2\frac{2}{3}$큰술, 고춧가루 1큰술
① 물에 양념장을 넣고 끓입니다.
② 양념이 어느 정도 졸았다면 떡, 어묵을 넣고 끓입니다.
③ 떡이 익으면 불을 끄고 다진 파와 달걀을 넣습니다.

❶ 떡볶이 2인분을 만들기 위해 필요한 고추장의 양은 몇 큰술일까요?

($4\frac{2}{3}$큰술)

✿ $2\frac{1}{3}+2\frac{1}{3}=4\frac{2}{3}$(큰술)

❷ 떡볶이 2인분을 만들기 위해 필요한 설탕의 양은 몇 큰술일까요?

($2\frac{4}{5}$큰술)

✿ $1\frac{2}{5}+1\frac{2}{5}=2\frac{4}{5}$(큰술)

❸ 떡볶이 2인분을 만들기 위해 필요한 고추장과 설탕의 양은 모두 몇 큰술일까요?

($7\frac{7}{15}$큰술)

✿ $4\frac{2}{3}+2\frac{4}{5}=4\frac{10}{15}+2\frac{12}{15}=6\frac{22}{15}=7\frac{7}{15}$(큰술)

4 다음 그림은 고대 이집트 신화에 나오는 '호루스의 눈'입니다. 이집트인들은 호루스의 눈 전체를 1로 하여 각 부분에 분수를 배치하였는데 부족한 부분은 호루스의 눈을 치유해 준 지식과 달의 신인 토트가 채워 준다고 믿었습니다. 부족한 부분은 전체의 얼마인지 구해 보세요.

$\frac{1}{8}$　$\frac{1}{16}$　$\frac{1}{4}$　$\frac{1}{2}$　$\frac{1}{32}$　$\frac{1}{64}$

• 각각의 분수가 상징하는 것
$\frac{1}{2}$: 후각　$\frac{1}{16}$: 청각
$\frac{1}{4}$: 시각　$\frac{1}{32}$: 미각
$\frac{1}{8}$: 생각　$\frac{1}{64}$: 촉각

❶ 후각, 시각, 생각을 상징하는 분수의 합은 얼마일까요?

($\frac{7}{8}$)

✿ $\frac{1}{2}+\frac{1}{4}+\frac{1}{8}=\frac{4}{8}+\frac{2}{8}+\frac{1}{8}=\frac{7}{8}$

❷ 청각, 미각, 촉각을 상징하는 분수의 합은 얼마일까요?

($\frac{7}{64}$)

✿ $\frac{1}{16}+\frac{1}{32}+\frac{1}{64}=\frac{4}{64}+\frac{2}{64}+\frac{1}{64}=\frac{7}{64}$

❸ 호루스의 눈의 여섯 부분의 합을 구해 보세요.

($\frac{63}{64}$)

✿ $\frac{7}{8}+\frac{7}{64}=\frac{56}{64}+\frac{7}{64}=\frac{63}{64}$

❹ 부족한 부분은 전체의 얼마인지 구해 보세요.

($\frac{1}{64}$)

✿ (부족한 부분)$=1-\frac{63}{64}=\frac{64}{64}-\frac{63}{64}=\frac{1}{64}$

2 단계 교과 사고력 확장

정답과 풀이 p.10

1 가로가 $3\frac{1}{7}$ cm, 세로가 $6\frac{2}{3}$ cm인 직사각형 모양의 종이 2장을 겹치지 않게 이어 붙였습니다. 붙여서 만든 직사각형의 네 변의 길이의 합은 몇 cm인지 구해 보세요.

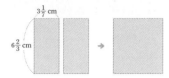

① 붙여서 만든 직사각형의 가로의 길이는 몇 cm일까요?

($6\frac{2}{7}$ cm)

❖ $3\frac{1}{7}+3\frac{1}{7}=6\frac{2}{7}$ (cm)

② 붙여서 만든 직사각형의 가로의 길이와 세로의 길이의 합은 몇 cm일까요?

($12\frac{20}{21}$ cm)

❖ $6\frac{2}{7}+6\frac{2}{3}=6\frac{6}{21}+6\frac{14}{21}=(6+6)+\left(\frac{6}{21}+\frac{14}{21}\right)$

$=12+\frac{20}{21}=12\frac{20}{21}$ (cm)

③ 붙여서 만든 직사각형의 네 변의 길이의 합은 몇 cm일까요?

($25\frac{19}{21}$ cm)

❖ $12\frac{20}{21}+12\frac{20}{21}=(12+12)+\left(\frac{20}{21}+\frac{20}{21}\right)$

$=24+\frac{40}{21}=24+1\frac{19}{21}=25\frac{19}{21}$ (cm)

40 · Run - C 5–1

2 다음 전개도를 접었을 때 만들어지는 정육면체에서 서로 마주 보는 두 면에 쓰여 있는 분수의 합은 모두 같습니다. ㉠과 ㉡에 알맞은 분수를 각각 구해 보세요.

① 서로 마주 보는 두 면에 쓰인 분수의 합을 구해 보세요.

($5\frac{1}{12}$)

❖ $2\frac{5}{6}+2\frac{1}{4}=2\frac{10}{12}+2\frac{3}{12}=4\frac{13}{12}=5\frac{1}{12}$

② ㉠에 알맞은 분수를 구해 보세요.

($3\frac{2}{3}$)

❖ $5\frac{1}{12}-1\frac{5}{12}=4\frac{13}{12}-1\frac{5}{12}=3\frac{8}{12}=3\frac{2}{3}$

③ ㉡에 알맞은 분수를 구해 보세요.

($2\frac{17}{24}$)

❖ $5\frac{1}{12}-2\frac{3}{8}=5\frac{2}{24}-2\frac{9}{24}=4\frac{26}{24}-2\frac{9}{24}=2\frac{17}{24}$

5. 분수의 덧셈과 뺄셈 · 41

2 단계 교과 사고력 확장

정답과 풀이 p.10

3 다음은 음표의 모양에 따른 박자를 나타낸 표입니다. 표를 보고 관계있는 것끼리 선으로 이어 보세요.

음표	♩	♩.	♪	♪	♪
박자	2박자	$1\frac{1}{2}$박자	1박자	$\frac{3}{4}$박자	$\frac{1}{2}$박자

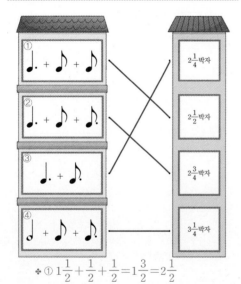

❖ ① $1\frac{1}{2}+\frac{1}{2}+\frac{1}{2}=1\frac{3}{2}=2\frac{1}{2}$

② $1\frac{1}{2}+\frac{1}{2}+\frac{3}{4}=1\frac{2}{4}+\frac{2}{4}+\frac{3}{4}=1\frac{7}{4}=2\frac{3}{4}$

③ $1\frac{1}{2}+\frac{3}{4}=1\frac{2}{4}+\frac{3}{4}=1\frac{5}{4}=2\frac{1}{4}$

④ $2+\frac{1}{2}+\frac{3}{4}=2+\frac{2}{4}+\frac{3}{4}=2\frac{5}{4}=3\frac{1}{4}$

42 · Run - C 5–1

4 여희는 마트를 지나서 가는 길과 놀이터를 지나서 가는 길 중 더 가까운 길로 병원을 가려고 합니다. 여희는 어디를 지나서 병원에 가야 하는지 구해 보세요.

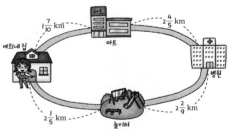

① 여희네 집에서 마트를 지나 병원에 가는 길의 거리는 몇 km인지 구해 보세요.

($4\frac{1}{2}$ km)

❖ $1\frac{7}{10}+2\frac{4}{5}=1\frac{7}{10}+2\frac{8}{10}=3\frac{15}{10}=4\frac{5}{10}=4\frac{1}{2}$ (km)

② 여희네 집에서 놀이터를 지나 병원에 가는 길의 거리는 몇 km인지 구해 보세요.

($4\frac{19}{45}$ km)

❖ $2\frac{1}{5}+2\frac{2}{9}=2\frac{9}{45}+2\frac{10}{45}=4\frac{19}{45}$ (km)

③ 여희는 마트와 놀이터 중 어디를 지나서 가는 길로 병원에 가야 할까요?

(놀이터)

❖ $4\frac{1}{2}=4\frac{45}{90}$, $4\frac{19}{45}=4\frac{38}{90}$ 이므로 $4\frac{1}{2}>4\frac{19}{45}$ 입니다.

따라서 놀이터를 지나서 가는 길이 더 가깝습니다.

5. 분수의 덧셈과 뺄셈 · 43

③ 교과 사고력 완성

평가 영역 □개념 이해력 □개념 응용력 □창의력 ☑문제 해결력

1 주사위를 2개씩 던져 나온 눈의 수로 진분수를 각각 만들었습니다. 세 사람이 만든 진분수의 합을 구해 보세요.

❶

소민   주원

해인

($1\dfrac{3}{4}$)

❖ 소민: $\dfrac{2}{3}$, 해인: $\dfrac{1}{4}$, 주원: $\dfrac{5}{6}$

→ $\dfrac{2}{3}+\dfrac{1}{4}+\dfrac{5}{6}=\dfrac{8}{12}+\dfrac{3}{12}+\dfrac{10}{12}=\dfrac{21}{12}=1\dfrac{9}{12}=1\dfrac{3}{4}$

❷

은우   동훈

시원

($1\dfrac{7}{15}$)

> 세 분수의 합은 두 수씩 차례로 더해도 되고 한꺼번에 통분하여 더해도 됩니다.

❖ 은우: $\dfrac{4}{5}$, 시원: $\dfrac{1}{6}$, 동훈: $\dfrac{1}{2}$

→ $\dfrac{4}{5}+\dfrac{1}{6}+\dfrac{1}{2}=\dfrac{24}{30}+\dfrac{5}{30}+\dfrac{1}{2}=\dfrac{29}{30}+\dfrac{1}{2}$

$=\dfrac{29}{30}+\dfrac{15}{30}=\dfrac{44}{30}=1\dfrac{14}{30}=1\dfrac{7}{15}$

44 · Run – Ⓒ 5–1

평가 영역 □개념 이해력 □개념 응용력 □창의력 ☑문제 해결력

2 길이가 다른 색 테이프 2장을 $\dfrac{3}{8}$ m가 겹치게 이어 붙였습니다. 이어 붙인 색 테이프의 전체 길이는 몇 m인지 구해 보세요.

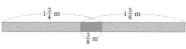

❶ 색 테이프 2장의 길이의 합을 구해 보세요.

❖ $1\dfrac{3}{4}+1\dfrac{5}{6}=1\dfrac{9}{12}+1\dfrac{10}{12}=2\dfrac{19}{12}=3\dfrac{7}{12}$ (m)   ($3\dfrac{7}{12}$ m)

❷ 위 ❶의 결과에서 겹친 부분의 길이를 빼면 얼마일까요?

($3\dfrac{5}{24}$ m)

❖ $3\dfrac{7}{12}-\dfrac{3}{8}=3\dfrac{14}{24}-\dfrac{9}{24}=3\dfrac{5}{24}$ (m)

평가 영역 ☑개념 이해력 □개념 응용력 □창의력 □문제 해결력

3 동욱이가 어제는 운동을 $1\dfrac{2}{3}$시간 동안 했고, 오늘은 $1\dfrac{1}{2}$시간 동안 했습니다. 어제와 오늘 운동을 한 시간은 모두 몇 시간 몇 분인지 구해 보세요.

❶ 동욱이가 어제와 오늘 운동을 한 시간은 모두 몇 시간인지 분수로 나타내어 보세요.

❖ $1\dfrac{2}{3}+1\dfrac{1}{2}=1\dfrac{4}{6}+1\dfrac{3}{6}=2\dfrac{7}{6}=3\dfrac{1}{6}$(시간)   ($3\dfrac{1}{6}$시간)

❷ 위 ❶에서 구한 시간을 몇 시간 몇 분으로 나타내어 보세요.

(3시간 10분)

❖ $3\dfrac{1}{6}$시간$=3\dfrac{10}{60}$시간 ➡ 3시간 10분

5. 분수의 덧셈과 뺄셈 · 45

Test 종합평가   5. 분수의 덧셈과 뺄셈

맞은 개수

1 □안에 알맞은 수를 써넣으세요.

$1\dfrac{5}{8}+2\dfrac{7}{12}=1\dfrac{\boxed{15}}{24}+2\dfrac{\boxed{14}}{24}=3\dfrac{\boxed{29}}{24}=\boxed{4}\dfrac{\boxed{5}}{24}$

2 대분수를 가분수로 나타내어 계산해 보세요.

(1) $1\dfrac{2}{11}+1\dfrac{1}{3}=\dfrac{13}{11}+\dfrac{4}{3}=\dfrac{39}{33}+\dfrac{44}{33}=\dfrac{83}{33}=2\dfrac{17}{33}$

(2) $1\dfrac{1}{4}+2\dfrac{3}{5}=\dfrac{5}{4}+\dfrac{13}{5}=\dfrac{25}{20}+\dfrac{52}{20}=\dfrac{77}{20}=3\dfrac{17}{20}$

3 □안에 알맞은 수를 써넣으세요.

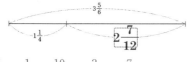

$2\dfrac{7}{12}$

❖ $3\dfrac{5}{6}-1\dfrac{1}{4}=3\dfrac{10}{12}-1\dfrac{3}{12}=2\dfrac{7}{12}$

4 $\dfrac{5}{8}+\dfrac{7}{12}$을 계산할 때 공통분모가 될 수 있는 수를 모두 찾아 기호를 써 보세요.

| ㉠ 12 | ㉡ 24 | ㉢ 36 | ㉣ 48 |

(㉡, ㉣)

❖ 분모 8과 12의 최소공배수인 24의 배수는 공통분모가 될 수 있습니다.

46 · Run – Ⓒ 5–1

5 가장 큰 분수와 가장 작은 분수의 차를 구해 보세요.

| $2\dfrac{3}{5}$ | $5\dfrac{8}{15}$ | $2\dfrac{7}{10}$ |

❖ 가장 큰 분수: $5\dfrac{8}{15}$, 가장 작은 분수: $2\dfrac{3}{5}$ ($2\dfrac{14}{15}$)

→ $5\dfrac{8}{15}-2\dfrac{3}{5}=5\dfrac{8}{15}-2\dfrac{9}{15}=4\dfrac{23}{15}-2\dfrac{9}{15}=2\dfrac{14}{15}$

6 스케치북의 가로는 세로보다 몇 m 더 깁니까?

$\dfrac{5}{14}$ m

$\dfrac{11}{21}$ m

($\dfrac{1}{6}$ m)

❖ $\dfrac{11}{21}-\dfrac{5}{14}=\dfrac{22}{42}-\dfrac{15}{42}=\dfrac{7}{42}=\dfrac{1}{6}$ (m)

7 피자 한 판의 $\dfrac{1}{5}$은 승기가 먹고, $\dfrac{4}{7}$는 호동이가 먹었습니다. 남은 피자의 양은 피자 한 판의 몇 분의 몇인지 구해 보세요.

❖ 승기와 호동이가 먹은 피자의 양은   ($\dfrac{8}{35}$)

피자 한 판의 $\dfrac{1}{5}+\dfrac{4}{7}=\dfrac{7}{35}+\dfrac{20}{35}=\dfrac{27}{35}$이므로 남은 피자의 양은

피자 한 판의 $1-\dfrac{27}{35}=\dfrac{35}{35}-\dfrac{27}{35}=\dfrac{8}{35}$입니다.

5. 분수의 덧셈과 뺄셈 · 47

Ⓣest **종합평가** 5. 분수의 덧셈과 뺄셈 ☞정답과 풀이 p.12

8 두 수의 합과 차를 각각 구해 보세요.

합 ($6\dfrac{1}{24}$)

차 ($2\dfrac{13}{24}$)

❖ 합: $4\dfrac{7}{24}+1\dfrac{3}{4}=4\dfrac{7}{24}+1\dfrac{18}{24}=5\dfrac{25}{24}=6\dfrac{1}{24}$

차: $4\dfrac{7}{24}-1\dfrac{3}{4}=4\dfrac{7}{24}-1\dfrac{18}{24}=3\dfrac{31}{24}-1\dfrac{18}{24}=2\dfrac{13}{24}$

9 □안에 알맞은 수를 써넣으세요.

$2\dfrac{7}{16}$ □ $\dfrac{11}{16}=1\dfrac{3}{4}$

❖ □ $=1\dfrac{3}{4}+\dfrac{11}{16}=1\dfrac{12}{16}+\dfrac{11}{16}=1\dfrac{23}{16}=2\dfrac{7}{16}$

10 윤아와 수지가 각자 가지고 있는 수 카드를 한 번씩만 사용하여 만들 수 있는 가장 큰 대분수를 만들었습니다. 두 사람이 만든 대분수의 차를 구해 보세요.

윤아 〔5〕〔2〕〔7〕   수지 〔2〕〔6〕〔3〕

($\dfrac{11}{15}$)

❖ 윤아: $7\dfrac{2}{5}$, 수지: $6\dfrac{2}{3}$

➡ $7\dfrac{2}{5}-6\dfrac{2}{3}=7\dfrac{6}{15}-6\dfrac{10}{15}=6\dfrac{21}{15}-6\dfrac{10}{15}=\dfrac{11}{15}$

48 · Run - C 5-1

11 삼각형의 세 변의 길이의 합은 몇 m인지 구해 보세요.

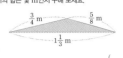

($2\dfrac{17}{24}$ m)

❖ $\dfrac{3}{4}+\dfrac{5}{8}+1\dfrac{1}{3}=\dfrac{18}{24}+\dfrac{15}{24}+1\dfrac{8}{24}=1\dfrac{9}{24}+1\dfrac{8}{24}=2\dfrac{17}{24}$ (m)

12 이어 붙인 색 테이프 전체의 길이를 구해 보세요.

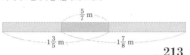

($2\dfrac{213}{280}$ m)

❖ (전체 길이)=(색 테이프 2장의 길이)−(겹친 부분)

(색 테이프 2장의 길이)$=1\dfrac{3}{5}+1\dfrac{7}{8}=1\dfrac{24}{40}+1\dfrac{35}{40}=2\dfrac{59}{40}=3\dfrac{19}{40}$ (m)

(이어 붙인 색 테이프 전체의 길이)$=3\dfrac{19}{40}-\dfrac{5}{7}=3\dfrac{133}{280}-\dfrac{200}{280}$

$=2\dfrac{413}{280}-\dfrac{200}{280}=2\dfrac{213}{280}$ (m)

13 유진이는 오전에 $\dfrac{3}{4}$시간 동안, 오후에 $1\dfrac{7}{10}$시간 동안 독서를 하였습니다. 유진이가 오늘 하루 동안 독서를 한 시간은 몇 시간 몇 분일까요?

(2시간 27분)

❖ (하루 동안 독서를 한 시간)=(오전에 독서를 한 시간)+(오후에 독서를 한 시간)

$=\dfrac{3}{4}+1\dfrac{7}{10}=\dfrac{15}{20}+1\dfrac{14}{20}=1\dfrac{29}{20}$

$=2\dfrac{9}{20}=2\dfrac{27}{60}$(시간) ➡ 2시간 27분

5. 분수의 덧셈과 뺄셈 · 49

Ⓣest **종합평가** 5. 분수의 덧셈과 뺄셈 ☞정답과 풀이 p.12

14 □안에 알맞은 수를 써넣으세요. (단, □안의 수는 24보다 작습니다.)

$\dfrac{11}{24}=\dfrac{1}{\boxed{8}}+\dfrac{1}{\boxed{3}}$

두 수를 바꾸어 써도 정답입니다.

❖ 24의 약수: 1, 2, 3, 4, 6, 8, 12, 24

24의 약수 중 합이 11이 되는 두 수를 찾으면 3과 8입니다.

➡ $\dfrac{11}{24}=\dfrac{3}{24}+\dfrac{8}{24}=\dfrac{1}{8}+\dfrac{1}{3}$

15 빈 곳에 알맞은 분수를 써넣으세요.

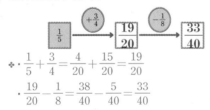

❖ · $\dfrac{1}{5}+\dfrac{3}{4}=\dfrac{4}{20}+\dfrac{15}{20}=\dfrac{19}{20}$

· $\dfrac{19}{20}-\dfrac{1}{8}=\dfrac{38}{40}-\dfrac{5}{40}=\dfrac{33}{40}$

16 어떤 수에 $2\dfrac{3}{4}$을 더해야 할 것을 잘못하여 뺐더니 $2\dfrac{1}{8}$이 되었습니다. 바르게 계산한 값은 얼마인지 구해 보세요.

($7\dfrac{5}{8}$)

❖ 어떤 수를 □라 하면 □$-2\dfrac{3}{4}=2\dfrac{1}{8}$,

□$=2\dfrac{1}{8}+2\dfrac{3}{4}=2\dfrac{1}{8}+2\dfrac{6}{8}=4\dfrac{7}{8}$ ➡ □$=4\dfrac{7}{8}$

바르게 계산하면

$4\dfrac{7}{8}+2\dfrac{3}{4}=4\dfrac{7}{8}+2\dfrac{6}{8}=6\dfrac{13}{8}=7\dfrac{5}{8}$입니다.

50 · Run - C 5-1

⭐특강 **창의·융합 사고력** ☞정답과 풀이 p.12

1 색의 혼합을 통해 여러 가지 다른 색을 만들 수 있는 세 가지 색을 색의 삼원색이라고 합니다. 인쇄를 할 때 쓰는 색의 삼원색은 시안(Cyan), 마젠타(Magenta), 옐로(Yellow)입니다. 물감이 다음과 같은 양이 있을 때 만들 수 있는 물감의 양을 각각 구해 보세요.

| 시안: $12\dfrac{2}{7}$ g |
| 옐로: $11\dfrac{1}{4}$ g |
| 마젠타: $13\dfrac{3}{8}$ g |

(1) 시안과 옐로 물감을 모두 섞어 초록색 물감을 만든다면 몇 g까지 만들 수 있을까요?

($23\dfrac{15}{28}$ g)

❖ (초록색 물감)$=12\dfrac{2}{7}+11\dfrac{1}{4}=12\dfrac{8}{28}+11\dfrac{7}{28}=23\dfrac{15}{28}$ (g)

(2) 옐로와 마젠타 물감을 모두 섞어 빨간색 물감을 만든다면 몇 g까지 만들 수 있을까요?

($24\dfrac{5}{8}$ g)

❖ (빨간색 물감)$=11\dfrac{1}{4}+13\dfrac{3}{8}=11\dfrac{2}{8}+13\dfrac{3}{8}=24\dfrac{5}{8}$ (g)

(3) 가지고 있는 물감을 모두 섞어 검정색 물감을 만든다면 몇 g까지 만들 수 있을까요?

❖ (검정색 물감)$=12\dfrac{2}{7}+11\dfrac{1}{4}+13\dfrac{3}{8}$ $36\dfrac{51}{56}$ g

$=12\dfrac{16}{56}+11\dfrac{14}{56}+13\dfrac{21}{56}$

$=23\dfrac{30}{56}+13\dfrac{21}{56}=36\dfrac{51}{56}$ (g)

5. 분수의 덧셈과 뺄셈 · 51

6 다각형의 둘레와 넓이

단위넓이

윤하는 마법의 양탄자를 2개 가지고 있습니다. 둘 중 더 작은 양탄자를 친구 은주에게 주려고 해요. 어느 양탄자가 더 작은지 알아볼까요?

윤하한테 가로, 세로가 각각 1 m인 정사각형 모양의 양탄자 조각이 있어요. 이것으로 두 양탄자의 넓이를 비교해 봅시다.

→ 양탄자 조각을 가로로 4개, 세로로 4개 놓을 수 있으므로 양탄자의 넓이는 4×4=16 (m²)입니다.

→ 양탄자 조각을 가로로 5개, 세로로 3개 놓을 수 있으므로 양탄자의 넓이는 5×3=15 (m²)입니다.

양탄자의 넓이를 구하기 위해서는 작은 정사각형의 넓이 하나를 1 m²라고 정하고 가로와 세로에 놓인 작은 정사각형의 수를 곱하면 (가로)×(세로)가 사각형의 넓이가 됩니다. 우리가 사는 집의 크기를 비교한다든지, 농장의 넓이, 책상의 크기 등 크기를 이야기할 때 크다, 작다 만으로 말할 수 없으므로 통일된 단위가 필요하고, 오늘날에는 세계적으로 통일된 미터법을 많이 사용하고 있습니다.

=1000m를 기본으로 한 국제단위계 ←

넓이가 같은 양탄자

두 양탄자는 모양은 다르지만 넓이가 서로 같아요.

 =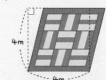

 =

개미굴을 나타낸 모양입니다. 가장 넓은 방에 ○표 하세요.

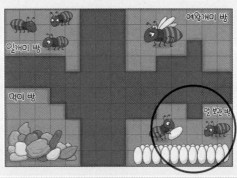

1단계 교과서 개념 잡기

개념확인문제

정답과 풀이 p.13

개념 1 정다각형의 둘레

도형	정삼각형	정사각형	정오각형
한 변의 길이	4 cm	4 cm	4 cm
둘레	4×3=12 (cm)	4×4=16 (cm)	4×5=20 (cm)

(정다각형의 둘레)=(한 변의 길이)×(변의 수)

개념 2 사각형의 둘레

· 직사각형의 둘레

(직사각형의 둘레)=6+3+6+3
=6×2+3×2
=(6+3)×2=18 (cm)

(직사각형의 둘레)=｛(가로)+(세로)｝×2

· 평행사변형의 둘레

(평행사변형의 둘레)=4+5+4+5
=4×2+5×2
=(4+5)×2=18 (cm)

(평행사변형의 둘레)=｛(한 변의 길이)+(다른 한 변의 길이)｝×2

· 마름모의 둘레

(마름모의 둘레)=6+6+6+6
=6×4
=24 (cm)

(마름모의 둘레)=(한 변의 길이)×4

1-1 정다각형의 둘레를 구해 보세요.

20 cm ・ 21 cm ・ 24 cm

❖ (정다각형의 둘레)=(한 변의 길이)×(변의 수)
5×4=20 (cm), 7×3=21 (cm), 4×6=24 (cm)

1-2 한 변의 길이가 8 cm인 정오각형의 둘레를 구해 보세요.
(**40 cm**)

❖ (정오각형의 둘레)=8×5=40 (cm)

2-1 직사각형의 둘레를 구하려고 합니다. □ 안에 알맞은 수를 써넣으세요.

(직사각형의 둘레)=8×2+ 4 ×2
=(8 + 4)×2
= 24 (cm)

2-2 사각형의 둘레는 몇 cm인지 구해 보세요.

(1)  마름모 (2) 평행사변형

(**28 cm**) (**22 cm**)

❖ (1) 7×4=28 (cm)
(2) (6+5)×2=22 (cm)

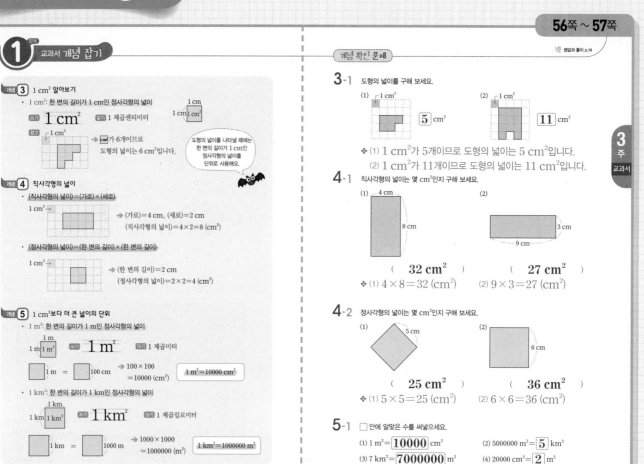

개념 확인 문제

3-1 도형의 넓이를 구해 보세요.

(1) $\boxed{5}$ cm² (2) $\boxed{11}$ cm²

❖ (1) 1 cm²가 5개이므로 도형의 넓이는 5 cm²입니다.
(2) 1 cm²가 11개이므로 도형의 넓이는 11 cm²입니다.

4-1 직사각형의 넓이는 몇 cm²인지 구해 보세요.

(1) 4 cm, 8 cm (2) 3 cm, 9 cm

(**32 cm²**) (**27 cm²**)

❖ (1) $4 \times 8 = 32$ (cm²) (2) $9 \times 3 = 27$ (cm²)

4-2 정사각형의 넓이는 몇 cm²인지 구해 보세요.

(1) 5 cm (2) 6 cm

(**25 cm²**) (**36 cm²**)

❖ (1) $5 \times 5 = 25$ (cm²) (2) $6 \times 6 = 36$ (cm²)

5-1 ☐ 안에 알맞은 수를 써넣으세요.

(1) 1 m² = $\boxed{10000}$ cm² (2) 5000000 m² = $\boxed{5}$ km²
(3) 7 km² = $\boxed{7000000}$ m² (4) 20000 cm² = $\boxed{2}$ m²

6. 다각형의 둘레와 넓이 · 57

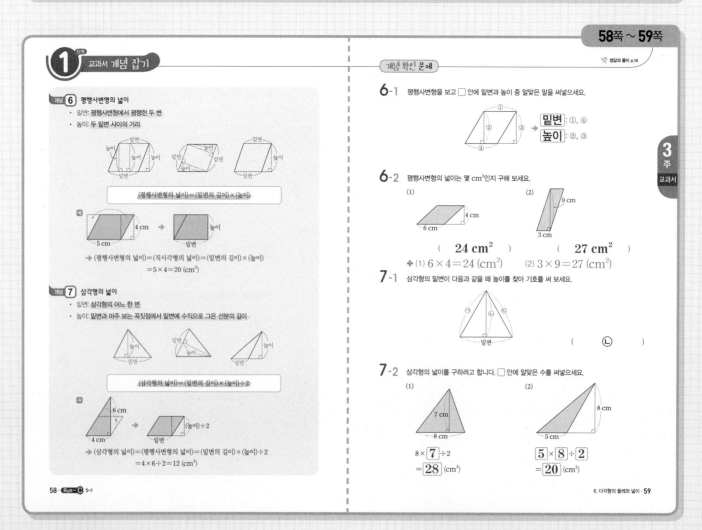

개념 확인 문제

6-1 평행사변형을 보고 ☐ 안에 밑변과 높이 중 알맞은 말을 써넣으세요.

밑변: ①, ④
높이: ②, ③

6-2 평행사변형의 넓이는 몇 cm²인지 구해 보세요.

(1) 4, 6 (2) 9, 3

(**24 cm²**) (**27 cm²**)

❖ (1) $6 \times 4 = 24$ (cm²) (2) $3 \times 9 = 27$ (cm²)

7-1 삼각형의 밑변이 다음과 같을 때 높이를 찾아 기호를 써 보세요.

(㉡)

7-2 삼각형의 넓이를 구하려고 합니다. ☐ 안에 알맞은 수를 써넣으세요.

(1) 7 cm, 8 cm (2) 8 cm, 5 cm

$8 \times \boxed{7} \div 2$ $\boxed{5} \times \boxed{8} \div \boxed{2}$
$= \boxed{28}$ (cm²) $= \boxed{20}$ (cm²)

6. 다각형의 둘레와 넓이 · 59

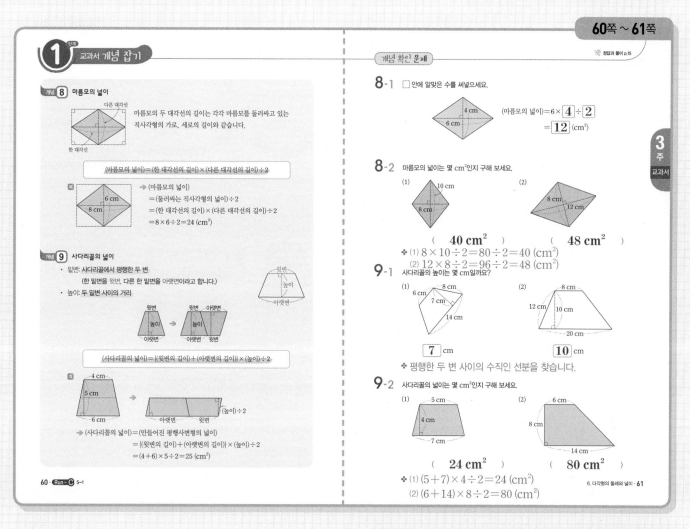

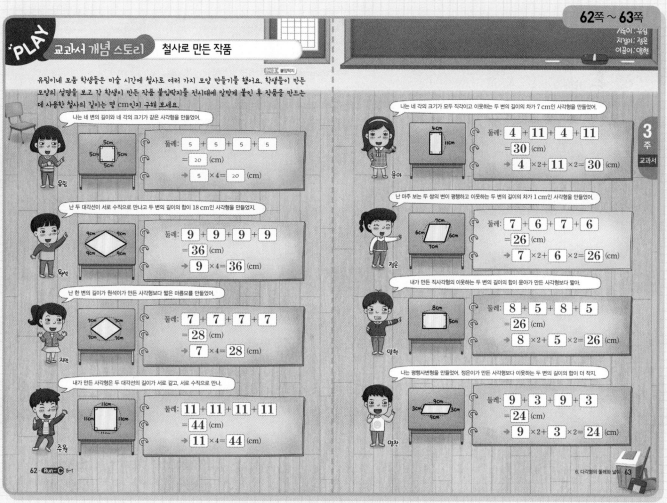

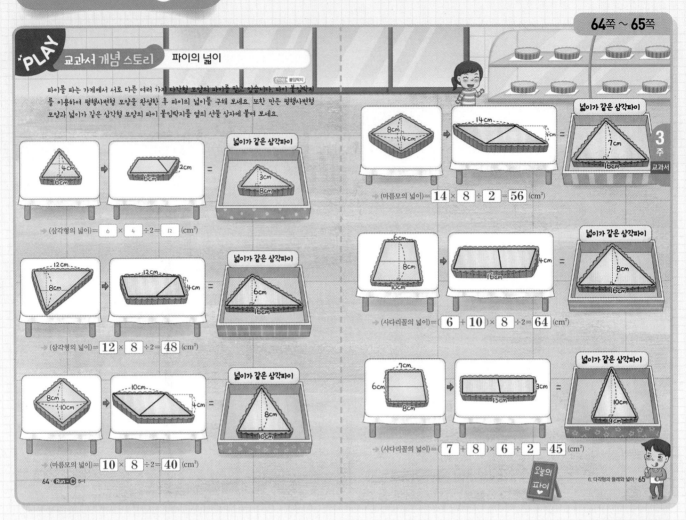

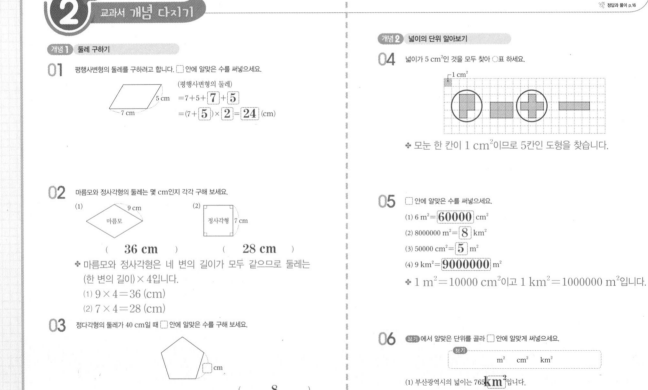

②단계 교과서 개념 다지기

※ 정답과 풀이 p.16

개념 1 둘레 구하기

01 평행사변형의 둘레를 구하려고 합니다. □ 안에 알맞은 수를 써넣으세요.

(평행사변형의 둘레)
=7+5+ 7 + 5
=(7+ 5)× 2 = 24 (cm)

02 마름모와 정사각형의 둘레는 몇 cm인지 각각 구해 보세요.

(1) 마름모 9 cm

(2) 정사각형 7 cm

(**36 cm**)   (**28 cm**)

✤ 마름모와 정사각형은 네 변의 길이가 모두 같으므로 둘레는
(한 변의 길이)× 4입니다.
(1) 9×4=36 (cm)
(2) 7×4=28 (cm)

03 정다각형의 둘레가 40 cm일 때 □ 안에 알맞은 수를 구해 보세요.

□cm

(**8**)

✤ 주어진 도형은 정오각형이고, 다섯 개의 변의 길이가 모두 같
으므로 □=40÷5=8입니다.

개념 2 넓이의 단위 알아보기

04 넓이가 5 cm²인 것을 모두 찾아 ○표 하세요.

1 cm²

✤ 모눈 한 칸이 1 cm²이므로 5칸인 도형을 찾습니다.

05 □ 안에 알맞은 수를 써넣으세요.
(1) 6 m²= 60000 cm²
(2) 8000000 m²= 8 km²
(3) 50000 cm²= 5 m²
(4) 9 km²= 9000000 m²

✤ 1 m²=10000 cm²이고 1 km²=1000000 m²입니다.

06 보기에서 알맞은 단위를 골라 □ 안에 알맞게 써넣으세요.

| 보기 |
| m² cm² km² |

(1) 부산광역시의 넓이는 765 km² 입니다.
(2) 민재네 교실의 넓이는 32 m² 입니다.
(3) 현주의 손거울의 넓이는 80 cm² 입니다.

② 교과서 개념 다지기

개념 3 직사각형과 평행사변형의 넓이 구하기

07 직사각형의 넓이를 구해 보세요.

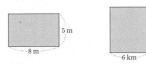

$\boxed{40}$ m² $\boxed{42}$ km²

❖ $8 \times 5 = 40$ (m²), $6 \times 7 = 42$ (km²)

08 평행사변형을 잘라 직사각형을 만들었습니다. 두 도형의 넓이는 몇 cm²인지 각각 구해 보세요.

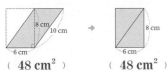

(**48 cm²**) (**48 cm²**)

❖ 평행사변형을 잘라서 직사각형을 만들었으므로 두 도형의 넓이는 같습니다.
➜ $6 \times 8 = 48$ (cm²)

09 □ 안에 알맞은 수를 구해 보세요.

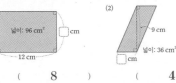

(**8**) (**4**)

(1) $12 \times \square = 96$ ➜ $\square = 96 \div 12 = 8$
(2) $\square \times 9 = 36$ ➜ $\square = 36 \div 9 = 4$

개념 4 삼각형의 넓이 구하기

10 넓이가 다른 삼각형을 찾아 기호를 써 보세요.

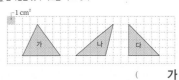

(**가**)

❖ 삼각형에서 밑변의 길이와 높이가 같으면 넓이가 같습니다.
➜ 나, 다는 밑변의 길이와 높이가 각각 같고 가는 높이는 같지만 밑변의 길이가 다릅니다.

11 삼각형의 넓이 구하는 식을 쓰고 넓이는 몇 cm²인지 구해 보세요.

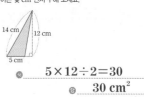

식 $5 \times 12 \div 2 = 30$
답 30 cm²

12 두 삼각형 중 넓이가 더 넓은 삼각형의 기호를 써 보세요.

(**나**)

❖ 가: $7 \times 10 \div 2 = 35$ (cm²)
나: $8 \times 9 \div 2 = 36$ (cm²)
➜ 나의 넓이가 더 넓습니다.

---

② 교과서 개념 다지기

개념 5 마름모의 넓이 구하기

13 마름모를 두 부분으로 잘라서 평행사변형을 만들었습니다. 두 도형의 넓이를 각각 구해 보세요.

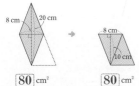

$\boxed{80}$ cm² $\boxed{80}$ cm²

❖ 마름모를 잘라서 평행사변형을 만들었으므로 두 도형의 넓이는 같습니다. ➜ $8 \times 20 \div 2 = 80$ (cm²)

14 마름모의 넓이는 몇 cm²인지 구해 보세요.

(**54 cm²**) (**80 cm²**)

❖ (1) $12 \times 9 \div 2 = 54$ (cm²)
(2) $10 \times 16 \div 2 = 80$ (cm²)

15 마름모의 넓이가 36 cm²일 때 선분 ㄴㄹ의 길이는 몇 cm인지 구해 보세요.

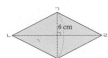

(**12 cm**)

❖ 선분 ㄴㄹ의 길이를 □ cm라 하면
(마름모의 넓이)=$6 \times \square \div 2 = 36$, $6 \times \square = 72$ $\square = 12$입니다.

개념 6 사다리꼴의 넓이 구하기

16 주어진 사다리꼴을 두 부분으로 잘라 평행사변형을 만들었습니다. □ 안에 알맞은 수를 써 넣으세요.

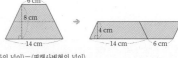

(사다리꼴의 넓이)=(평행사변형의 넓이)
=$(6+\boxed{14}) \times \boxed{8} \div 2$
=$\boxed{20} \times \boxed{8} \div \boxed{2}$
=$\boxed{80}$ (cm²)

❖ (평행사변형의 높이)=(사다리꼴의 높이)÷2

17 사다리꼴의 넓이는 몇 cm²인지 구해 보세요.

(**110 cm²**) (**99 cm²**)

❖ (1) $(17+5) \times 10 \div 2 = 110$ (cm²)
(2) $(8+14) \times 9 \div 2 = 99$ (cm²)

18 주어진 사다리꼴과 넓이가 같은 사다리꼴을 다른 모양으로 1개 그려 보세요.

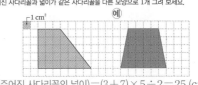

❖ (주어진 사다리꼴의 넓이)=$(3+7) \times 5 \div 2 = 25$ (cm²)
넓이가 25 cm²인 사다리꼴을 그립니다.

[참고] 윗변과 아랫변의 길이의 합이 10 cm이고 높이가 5 cm로 같은 사다리꼴을 그리면 편리합니다.

③ 단계 교과서 **실력** 다지기

정답과 풀이 p.18

★ 둘레가 주어진 경우 정다각형의 한 변의 길이 구하기

1 두 정다각형의 둘레가 같을 때 정사각형의 한 변의 길이는 몇 cm인지 구해 보세요.

8 cm

답 **12 cm**

개념 피드백 • 둘레가 주어진 경우 정다각형의 한 변의 길이 구하는 방법
정다각형의 변의 길이는 모두 같으므로 둘레를 변의 수로 나누면 한 변의 길이가 됩니다.

❖ (정육각형의 둘레)=8×6=48 (cm)
1-1 ➡ (정사각형의 한 변의 길이)=48÷4=12 (cm)

정오각형의 둘레가 75 cm일 때, 한 변의 길이는 몇 cm인지 구해 보세요.

(**15 cm**)

❖ 75÷5=15 (cm)

1-2 마름모와 둘레가 같은 정삼각형이 있습니다. 정삼각형의 한 변의 길이는 몇 cm인지 구해 보세요.

21 cm

(**28 cm**)

❖ (마름모의 둘레)=21×4=84 (cm)
➡ (정삼각형의 한 변의 길이)=84÷3=28 (cm)

72 · Run - C 5-1

★ 단위넓이를 이용하여 넓이 구하기

2 넓이가 넓은 것부터 차례로 기호를 써 보세요.

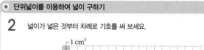
1 cm²

가   나   다

답 **다, 나, 가**

개념 피드백 • 단위넓이를 이용하여 넓이 구하는 방법
① 주어진 도형은 단위넓이가 몇 개로 이루어진 것인지 확인하여 넓이를 구합니다.
② 주어진 도형이 직각으로만 이루어진 도형이 아닌 경우 도형을 잘라 이동시켜 넓이를 구할 수 있는 도형으로 만들어 넓이를 구합니다.

❖ 가: 8 cm², 나: 9 cm², 다: 11 cm²
2-1 넓이가 다른 도형 하나를 찾아 기호를 써 보세요.

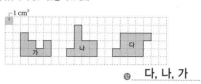
1 cm²

가   나   다

(**나**)

❖ 가: 8 cm², 나: 7 cm², 다: 8 cm²
2-2 단위넓이를 이용하여 도형의 넓이는 몇 cm²인지 구해 보세요.

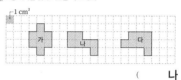
1 cm²

(**12 cm²**)

❖ 그림과 같이 도형을 옮기면 1 cm²인 단위넓이가 12개 만들어집니다. 따라서 넓이는 12 cm²입니다.

6. 다각형의 둘레와 넓이 · 73

③ 단계 교과서 **실력** 다지기

정답과 풀이 p.18

★ 둘레와 넓이의 활용

3 평행사변형의 넓이가 240 cm²일 때 둘레는 몇 cm인지 구해 보세요.

24 cm   20 cm

답 **72 cm**

개념 피드백 • 넓이가 주어진 사각형의 둘레 구하는 방법
① 넓이와 주어진 길이를 이용하여 필요한 변의 길이를 구합니다.
② 주어진 길이와 구한 변의 길이를 이용하여 둘레를 구합니다.

❖ 넓이가 240 cm²이므로 높이가 20 cm일 때 밑변의 길이는
240÷20=12 (cm)입니다.
평행사변형의 둘레: (12+24)×2=72 (cm)

3-1 직사각형의 둘레가 34 cm일 때 직사각형의 넓이는 몇 cm²인지 구해 보세요.

12 cm

(**60 cm²**)

❖ 직사각형의 세로를 ★ cm라 하면
직사각형의 둘레는 (12+★)×2=34이므로 12+★=17,
★=17-12=5입니다. 직사각형의 넓이: 12×5=60 (cm²)

3-2 평행사변형 가와 넓이가 같은 직사각형 나가 있습니다. 평행사변형 가의 둘레는 몇 cm인지 구해 보세요.

20 cm 26 cm   나   15 cm
       가   32 cm

(**100 cm**)

❖ 직사각형 나의 넓이: 32×15=480 (cm²)
넓이가 480 cm²이므로 평행사변형 가의 높이가 20 cm일
때 밑변의 길이는 480÷20=24 (cm)입니다.
평행사변형 가의 둘레: (26+24)×2=100 (cm)

74 · Run - C 5-1

★ 삼각형의 넓이를 이용하여 길이 구하기

4 ☐ 안에 알맞은 수를 구해 보세요.

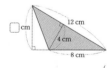
30 cm   50 cm
        ☐ cm
   40 cm

답 **24**

개념 피드백 • 삼각형의 넓이를 이용하여 길이 구하는 방법
① 주어진 밑변의 길이와 높이를 이용하여 삼각형의 넓이를 구합니다.
② 삼각형의 밑변을 다르게 하여 넓이를 구하는 식을 이용하여 다른 선분의 길이를 구합니다.

❖ 삼각형의 넓이: 40×30÷2=600 (cm²)
50×☐÷2=600, 50×☐=1200 ➡ ☐=1200÷50=24

4-1 ☐ 안에 알맞은 수를 구해 보세요.

☐ cm   12 cm
        4 cm
   8 cm

(**6**)

❖ 삼각형의 넓이: 12×4÷2=24 (cm²)
8×☐÷2=24, 8×☐=48 ➡ ☐=48÷8=6

4-2 ☐ 안에 알맞은 수를 구해 보세요.

20 cm   15 cm
   12 cm
   ☐ cm

(**25**)

❖ 삼각형의 넓이: 15×20÷2=150 (cm²)
☐×12÷2=150 ➡ ☐×12=300
➡ ☐=300÷12=25

6. 다각형의 둘레와 넓이 · 75

정답과 풀이 p.19

★ 사다리꼴의 넓이를 이용하여 길이 구하기

5 사다리꼴의 넓이가 96 cm²일 때 ☐ 안에 알맞은 수를 구해 보세요.

답 ___15___

> **개념피드백** • 사다리꼴의 넓이를 이용하여 길이 구하는 방법
> ① 구하려는 길이를 ☐로 하여 사다리꼴의 넓이를 구하는 식을 씁니다.
> ② 계산 과정을 거꾸로 생각하여 ☐의 값을 구합니다.

❖ (사다리꼴의 넓이)=(9+☐)×8÷2=96 ➡ (9+☐)×8=96×2=192
➡ 9+☐=192÷8=24 ➡ ☐=24−9=15

5-1 사다리꼴의 넓이가 42 cm²일 때 ☐ 안에 알맞은 수를 구해 보세요.

❖ (10+☐)×6÷2=42
➡ (10+☐)×6=42×2=84
➡ 10+☐=84÷6=14 (__4__)
➡ ☐=14−10=4

5-2 사다리꼴의 넓이가 176 cm²일 때 ☐ 안에 알맞은 수를 구해 보세요.

❖ (15+☐)×11÷2=176 (__17__)
➡ (15+☐)×11=176×2=352
➡ 15+☐=352÷11=32
➡ ☐=32−15=17

★ 도형을 붙이거나 잘라내었을 때의 넓이 구하기

6 직사각형 모양의 종이에서 삼각형 모양을 잘라냈습니다. 잘라내고 남은 부분의 넓이는 몇 cm²인지 구해 보세요.

답 __196 cm²__

> **개념피드백** • 도형에서 다른 도형을 잘라내었을 때 남은 부분의 넓이 구하는 방법
> ① 전체 도형의 넓이를 구합니다.
> ② 잘라낸 도형의 넓이를 구합니다.
> ③ 전체 도형의 넓이에서 잘라낸 도형의 넓이를 빼 남은 부분의 넓이를 구합니다.

❖ 직사각형의 넓이: 19×12=228 (cm²)
　잘라낸 삼각형의 넓이: (19−11)×8÷2=32 (cm²)
　남은 부분의 넓이: 228−32=196 (cm²)

6-1 사다리꼴 안에 마름모가 그려져 있는 도형에서 색칠한 부분의 넓이는 몇 cm²인지 구해 보세요.

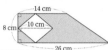

❖ (색칠한 부분의 넓이)
　=(사다리꼴의 넓이)−(마름모의 넓이)
　=(14+26)×8÷2−10×8÷2　(__120 cm²__)
　=160−40=120 (cm²)

6-2 색칠한 도형의 넓이는 몇 cm²인지 구해 보세요.

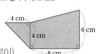

❖ (색칠한 도형의 넓이)
　=(삼각형의 넓이)+(사다리꼴의 넓이)　(__48 cm²__)
　=4×4÷2+(4+6)×8÷2
　=8+40=48 (cm²)

Test 교과서 서술형 연습

정답과 풀이 p.19

1 삼각형 ㄱㄴㄷ의 넓이는 39 cm²입니다. 사다리꼴 ㄱㄴㄷㄹ의 넓이는 몇 cm²인지 구해 보세요.

> **해결하기** 삼각형 ㄱㄴㄷ의 밑변의 길이가 13 cm일 때 높이를 ▣cm라 하면
> ⊡13⊡ × ▣ ÷ ⊡2⊡ =39 ➡ ▣= ⊡6⊡ 입니다.
> 따라서 사다리꼴 ㄱㄴㄷㄹ의 넓이는
> (⊡8⊡+⊡13⊡) × ⊡6⊡ ÷2= ⊡63⊡ (cm²)입니다.
>
> 답 구하기 ⊡63⊡ cm²

2 평행사변형 ㄱㅁㄷㄹ의 넓이는 96 cm²입니다. 사다리꼴 ㄱㄴㄷㄹ의 넓이는 몇 cm²인지 구해 보세요.

> **해결하기** 예) 평행사변형 ㄱㅁㄷㄹ의 높이를 ☐cm라
> 하면 12×☐=96, ☐=8입니다.
> 따라서 사다리꼴 ㄱㄴㄷㄹ의 넓이는
> (12+18)×8÷2=120 (cm²)입니다.
>
> 답 구하기 120 cm²

3 둘레는 28 cm이고 가로가 세로보다 2 cm 더 긴 직사각형이 있습니다. 이 직사각형의 세로는 몇 cm인지 구해 보세요.

> ✏️ 구하려는 것, 주어진 것에 선을 그어 봅니다.
>
> **해결하기** (직사각형의 둘레)=((가로)+(세로))× ⊡2⊡
> 직사각형의 세로를 ▣cm 하면, 가로는 (▣+⊡2⊡) cm입니다.
> (직사각형의 둘레)=(▣+▣+⊡2⊡)× ⊡2⊡ =28
> ➡ ▣+▣+⊡2⊡= ⊡14⊡
> 　　▣+▣= ⊡12⊡
> 　　▣= ⊡6⊡
>
> 답 구하기 ⊡6⊡ cm

4 **주어진 것**　　　　　　　**구하려는 것**
둘레는 40 cm이고, 가로가 세로보다 4 cm 더 긴 직사각형이 있습니다. 이 직사각형의 가로는 몇 cm인지 구해 보세요.

> ✏️ 구하려는 것, 주어진 것에 선을 그어 봅니다.
>
> **해결하기** 예) 직사각형의 세로를 ☐ cm, 가로를
> (☐+4) cm라 하면 (☐+☐+4)×2=40,
> ☐+☐+4=20, ☐+☐=16 ➡ ☐=8입니다.
> 따라서 직사각형의 가로는 8+4=12 (cm)입니다.
>
> 답 구하기 12 cm

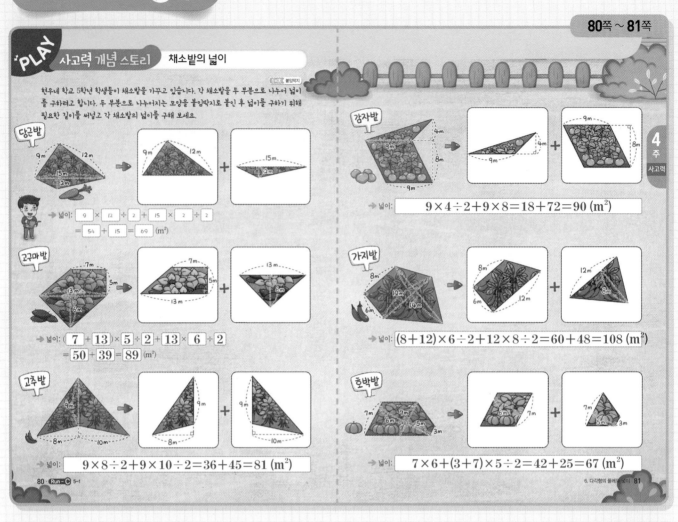

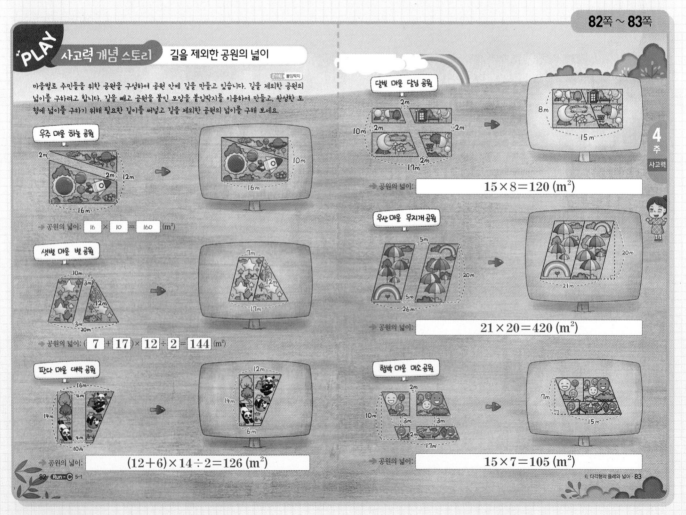

① 단계 교과 사고력 잡기

정답과 풀이 p.21

1 둘레가 16 cm인 작은 정사각형 모양의 초콜릿이 합쳐져서 만들어진 초콜릿이 있습니다. 강호가 먹고 남은 초콜릿이 다음과 같을 때 남은 초콜릿의 둘레는 몇 cm인지 구해 보세요.

① 작은 정사각형 모양의 초콜릿 한 개의 한 변의 길이는 몇 cm일까요?

(**4 cm**)

❖ $16 \div 4 = 4$ (cm)

② 남은 초콜릿의 둘레는 정사각형의 한 변의 길이의 몇 배일까요?

(**14배**)

③ 남은 초콜릿의 둘레는 몇 cm일까요?

(**56 cm**)

❖ $4 \times 14 = 56$ (cm)

2 영미는 수영장에 갔습니다. 어린이용 수영장의 넓이가 더 좁다면 어린이인 영미는 어느 수영장으로 들어가야 하는지 구해 보세요.

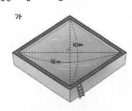 

가 나

① 마름모 모양의 수영장의 넓이는 몇 m²일까요?

(**80 m²**)

❖ $16 \times 10 \div 2 = 80$ (m²)

② 사다리꼴 모양의 수영장의 넓이는 몇 m²일까요?

(**84 m²**)

❖ $(9 + 5) \times 12 \div 2 = 84$ (m²)

③ 영미가 들어가야 하는 수영장은 무엇인지 기호를 써 보세요.

(**가**)

❖ $80 < 84$이므로 가 수영장에 들어가야 합니다.

---

① 단계 교과 사고력 잡기

정답과 풀이 p.21

3 픽토그램이란 그림을 뜻하는 픽토(picto)와 전보를 뜻하는 텔레그램(telegram)의 합성어로 무언가 중요한 사항이나 장소를 알리기 위해 어떤 사람이 보더라도 같은 의미로 통할 수 있는 그림으로 된 상징문자입니다. 다음은 화장실의 남녀칸을 구분 짓는 픽토그램입니다. 픽토그램의 색칠한 부분의 넓이의 합을 구해 보세요.

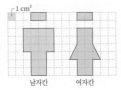

남자칸   여자칸

① 남자칸 픽토그램의 넓이는 몇 cm²일까요?

(**20 cm²**)

❖ 남자칸 픽토그램의 넓이는 모눈 한 칸의 넓이의 20배이므로 20 cm²입니다.

② 여자칸 픽토그램의 넓이는 몇 cm²일까요?

(**16 cm²**)

❖ 여자칸 픽토그램의 넓이는 모눈 한 칸의 넓이의 16배이므로 16 cm²입니다.

③ 화장실의 남녀칸 픽토그램의 넓이의 합을 구해 보세요.

(**36 cm²**)

❖ $20 + 16 = 36$ (cm²)

4 가영이네 집의 직사각형 모양의 평면도입니다. 주방과 거실의 넓이는 몇 m²인지 구해 보세요. (단, 방과 화장실은 모두 직사각형 모양입니다.)

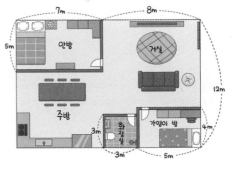

① 안방, 가영이 방, 화장실의 넓이를 각각 구해 보세요.

안방 (**35 m²**)
가영이 방 (**20 m²**)
화장실 (**9 m²**)

❖ • 안방: $7 \times 5 = 35$ (m²)
   • 가영이 방: $5 \times 4 = 20$ (m²)
   • 화장실: $3 \times 3 = 9$ (m²)

② 가영이네 집 전체 넓이는 몇 m²일까요?

(**180 m²**)

❖ $(7 + 8) \times 12 = 15 \times 12 = 180$ (m²)

③ 주방과 거실의 넓이는 몇 m²일까요?

(**116 m²**)

❖ $180 - (35 + 20 + 9) = 180 - 64 = 116$ (m²)

②단계 교과 사고력 확장

1 다음과 같은 직사각형 모양의 주차장이 있습니다. 장애인 주차 구역의 가로는 일반 주차 구역의 가로보다 1 m 길고 나머지 칸의 크기는 모두 같습니다. 주차 구역 사이의 간격이 모두 같을 때 일반 주차 구역 한 칸의 둘레는 몇 m인지 구해 보세요.

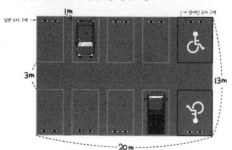

❶ 일반 주차 구역 한 칸의 가로는 몇 m일까요?

(**3 m**)

❖ $(20-1\times4-1)\div5=15\div5=3$ (m)

❷ 주차 구역 한 칸의 세로는 몇 m일까요?

(**5 m**)

❖ $(13-3)\div2=10\div2=5$ (m)

❸ 일반 주차 구역 한 칸의 둘레는 몇 m일까요?

(**16 m**)

❖ 가로: 3 m, 세로: 5 m

➡ $(3+5)\times2=16$ (m)

정답과 풀이 p.22

2 다음은 정사각형 3개를 이어 붙인 도형의 일부분을 색칠한 것입니다. 색칠한 부분의 넓이를 구해 보세요.

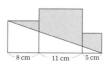

❶ 정사각형 3개의 넓이의 합은 몇 cm^2일까요?

(**210 cm²**)

❖ $8\times8+11\times11+5\times5$
$=64+121+25=210$ (cm²)

❷ 색칠하지 않은 삼각형의 넓이는 몇 cm^2일까요?

(**96 cm²**)

❖ 삼각형의 밑변의 길이: $8+11+5=24$ (cm)
삼각형의 높이: 8 cm
➡ 삼각형의 넓이: $24\times8\div2=96$ (cm²)

❸ 색칠한 부분의 넓이는 몇 cm^2일까요?

(**114 cm²**)

❖ $210-96=114$ (cm²)

4 주 사고력

---

②단계 교과 사고력 확장

3 모양과 크기가 같은 두 마름모를 그림과 같이 겹치게 붙였습니다. 만든 도형의 전체 넓이는 몇 cm^2인지 구해 보세요.

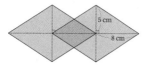

❶ 만든 도형의 전체 넓이는 (두 마름모의 넓이)－(겹쳐진 부분의 넓이)로 구합니다. 겹쳐진 부분의 넓이는 주어진 마름모 한 개의 넓이의 $\frac{1}{4}$입니다.

❷ 겹쳐진 부분의 넓이는 몇 cm^2일까요?

(**20 cm²**)

❖ (마름모 한 개의 넓이)$=16\times10\div2=80$ (cm²)
(겹쳐진 부분의 넓이)$=80\times\frac{1}{4}=20$ (cm²)

❸ 만든 도형의 전체 넓이는 몇 cm^2일까요?

(**140 cm²**)

❖ (전체 넓이)$=16\times10\div2\times2-20$
$=160-20$
$=140$ (cm²)

정답과 풀이 p.22

4 가로가 40 m, 세로가 30 m인 직사각형 모양의 밭을 다음과 같이 9부분으로 나누어 길을 냈습니다. 길을 제외한 밭의 넓이는 몇 m^2인지 구해 보세요.

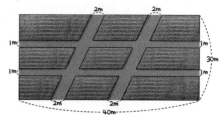

❶ 길을 제외한 밭의 가로는 몇 m일까요?

(**36 m**)

❖ $40-2-2=36$ (m)

❷ 길을 제외한 밭의 세로는 몇 m일까요?

(**28 m**)

❖ $30-1-1=28$ (m)

❸ 밭의 넓이를 구해 보세요.

(**1008 m²**)

❖ $36\times28=1008$ (m²)

4 주 사고력

③ 교과 사고력 완성

정답과 풀이 p.23

평가 영역 □개념 이해력 □개념 응용력 ☑창의력 □문제 해결력

1 2 cm부터 9 cm까지 길이가 서로 다른 끈 8개가 있습니다. 이 끈을 모두 이용하여 만들 수 있는 직사각형 중 넓이가 가장 넓은 직사각형의 넓이를 구해 보세요. (단, 끈의 굵기는 생각하지 않습니다.)

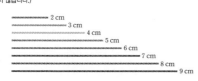

① 끈 8개의 길이의 합은 몇 cm일까요?

(**44 cm**)

✧ $2+3+4+5+6+7+8+9=44$ (cm)

② 이 끈을 모두 이용하여 만들 수 있는 직사각형 중 넓이가 가장 넓은 직사각형의 가로와 세로는 각각 몇 cm가 되어야 할까요?

가로 (**11 cm**), 세로 (**11 cm**)

✧ 가로와 세로의 차가 가장 작을 때 넓이가 가장 넓습니다. 따라서 가로와 세로가 $44÷4=11$ (cm)로 같을 때 넓이가 가장 넓습니다.

③ 넓이가 가장 넓은 직사각형의 넓이는 몇 cm²일까요?

(**121 cm²**)

✧ 한 변의 길이가 11cm인 정사각형일 때 넓이가 가장 넓습니다. ➔ $11×11=121$ (cm²)

92 · Run – Ⓒ 5–1

평가 영역 □개념 이해력 □개념 응용력 ☑창의력 □문제 해결력

2 다음과 같이 가로, 세로 간격이 일정하게 찍혀 있는 점을 이어 다각형을 만들었습니다. 점 사이 가로, 세로 간격이 모두 1 cm일 때, 도형 가와 나의 넓이는 각각 몇 cm²인지 구해 보세요.

✧ 큰 사각형의 넓이에서 색칠하지 않은 부분의 넓이를 뺍니다.

가 (**4 cm²**)
나 (**4 cm²**)

가의 넓이: (큰 사각형)−(㉠+㉡+㉢)
$=3×3-\left(\dfrac{3}{2}+2+\dfrac{3}{2}\right)=9-5=4$ (cm²)

나의 넓이: (큰 사각형)−(㉠+㉡+㉢)
$=3×3-(1+3+1)=9-5=4$ (cm²)

평가 영역 □개념 이해력 □개념 응용력 □창의력 ☑문제 해결력

3 가로, 세로 간격이 모두 1 cm로 일정한 점을 이어 오각형을 만들었습니다. 색칠한 오각형의 넓이는 몇 cm²인지 구해 보세요.

(**10 cm²**)

✧ 큰 사각형의 넓이에서 색칠하지 않은 부분의 넓이를 뺍니다.

오각형의 넓이: (큰 사각형)−(㉠+㉡+㉢+㉣)
$=4×4-\left(3+\dfrac{1}{2}+\dfrac{3}{2}+1\right)$
$=16-6=10$ (cm²)

6. 다각형의 둘레와 넓이 · 93

Test 종합평가   6. 다각형의 둘레와 넓이

맞은 개수

정답과 풀이 p.23

1 평행사변형의 둘레는 몇 cm일까요?

(**46 cm**)

✧ $(15+8)×2=46$ (cm)

2 한 변의 길이가 6 cm인 정오각형의 둘레는 몇 cm일까요?

(**30 cm**)

✧ $6×5=30$ (cm)

3 직사각형의 넓이는 몇 m²일까요?

(**15 m²**)

✧ 500 cm＝5 m이므로
직사각형의 넓이는 $5×3=15$ (m²)입니다.

4 □ 안에 알맞은 단위를 써넣으세요.

(1) 15000000 m²＝15 **km²**
(2) 29 m²＝290000 **cm²**

✧ 1 km²＝1000000 m², 1 m²＝10000 cm²

94 · Run – Ⓒ 5–1

---

5 다음 중 넓이가 5 cm²인 것을 찾아 기호를 써 보세요.

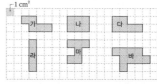

(**가**)

✧ 모눈 한 칸의 크기가 1 cm²이므로 모눈의 칸의 수가 5인 것을 찾습니다.
가: 5 cm², 나: 6 cm², 다: 6 cm², 라: 4 cm², 마: 6 cm², 바: 9 cm²

6 삼각형의 넓이는 몇 cm²일까요?

(**24 cm²**)

✧ $6×8÷2=24$ (cm²)

7 색칠한 마름모의 넓이는 몇 cm²일까요?

(**98 cm²**)

✧ $14×14÷2=98$ (cm²)

6. 다각형의 둘레와 넓이 · 95

Test 종합평가 6. 다각형의 둘레와 넓이

정답과 풀이 p.24

8 사다리꼴의 넓이는 몇 cm²일까요?

(**132 cm²**)

❖ $(17+7) \times 11 \div 2 = 132$ (cm²)

9 삼각형의 넓이가 다른 하나를 찾아 기호를 써 보세요.

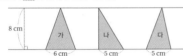

(**가**)

❖ 모양은 달라도 밑변의 길이와 높이가 같은 삼각형은 넓이가 같습니다.
높이는 모두 8 cm로 같으므로 밑변의 길이가 다른 가 삼각형은 넓이가 다릅니다.

10 직사각형의 둘레가 24 cm일 때, ☐ 안에 알맞은 수를 써넣으세요.

❖ (직사각형의 둘레)=$(9+☐) \times 2 = 24$
$9+☐=12$ ➜ $☐=3$

96 · Run - C 5-1

11 두 정다각형의 둘레의 길이가 같습니다. 정사각형의 한 변의 길이는 몇 cm일까요?

(**15 cm**)

❖ (정오각형의 둘레)=$12 \times 5 = 60$ (cm)
(정사각형의 한 변의 길이)=$60 \div 4 = 15$ (cm)

12 평행사변형의 넓이가 72 cm²일 때 둘레는 몇 cm인지 구해 보세요.

(**38 cm**)

❖ 넓이가 72 cm²이므로 높이가 6 cm일 때 밑변의 길이는
$72 \div 6 = 12$ (cm)입니다.
➜ 평행사변형의 둘레: $(12+7) \times 2 = 38$ (cm)

13 ☐ 안에 알맞은 수를 구해 보세요.

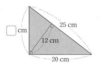

(**15**)

❖ 25 cm인 변을 밑변으로 하면 높이가 12 cm이므로 삼각형의 넓이는 $25 \times 12 \div 2 = 150$ (cm²)입니다.
따라서 $20 \times ☐ \div 2 = 150$, $20 \times ☐ = 300$
➜ $☐=15$입니다.

6. 다각형의 둘레와 넓이 · 97

Test 종합평가 6. 다각형의 둘레와 넓이

정답과 풀이 p.24

14 둘레는 92 cm이고 가로가 세로보다 6 cm 더 긴 직사각형이 있습니다. 이 직사각형의 가로는 몇 cm인지 구해 보세요.

(**26 cm**)

❖ 직사각형의 세로를 ■ cm, 가로를 (■+6) cm라 하면
$(■+■+6) \times 2 = 92$, $■+■+6=46$, $■+■=40$
➜ $■=20$입니다.
따라서 직사각형의 가로는 $20+6=26$ (cm)입니다.

15 색칠한 부분의 넓이는 몇 cm²일까요?

(**140 cm²**)

❖ 색칠한 부분을 붙여 보면 윗변의 길이는 $12-2=10$ (cm)이고, 아랫변의 길이는 $20-2=18$ (cm)인 사다리꼴입니다.
따라서 사다리꼴의 넓이는 $(10+18) \times 10 \div 2 = 140$ (cm²)입니다.

16 사각형 ㄱㄴㄷㄹ과 사각형 ㄱㅁㄷㅂ은 마름모입니다. 색칠한 도형의 넓이는 몇 cm²인지 구해 보세요.

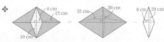

(**240 cm²**)

❖
(큰 마름모의 넓이)=$32 \times 20 \div 2 = 320$ (cm²),
(작은 마름모의 넓이)=$8 \times 20 \div 2 = 80$ (cm²)
➜ (색칠한 도형의 넓이)=$320-80=240$ (cm²)

98 · Run - C 5-1

특강 창의 · 융합 사고력

정답과 풀이 p.24

1 도연이와 지훈이는 여러 나라의 국기에 대하여 알아보고 있습니다. 물음에 답하세요.

브라질 국기

초록 바탕에 노란 마름모가 있고 그 안에 파란 원이 있으며 원 안에는 흰색 리본이 가로질러 있습니다. 초록은 농업과 산림 자원을, 노랑은 광업과 지하 자원을, 파랑은 하늘을 나타내고 별자리 그림은 브라질의 한 도시에서 본 별을 나타낸 것입니다. 흰색 리본에는 포르투갈어로 '질서와 진보'를 나타내는 글씨가 쓰여 있습니다.

스웨덴 국기

노란 십자 모양은 1157년 스웨덴 국왕이었던 에리크 9세가 핀란드를 공격하기 전에 하느님에게 기도를 올릴 때 파란 하늘에 노란색 빛줄기의 십자가가 나타나는 전설에서 유래하였습니다. 십자는 그리스도교 국가임을 나타내며 십자가는 스칸디나비아 제국 공통의 디자인입니다.

(1) 도연이가 브라질 국기를 오른쪽과 같이 그렸습니다. 도연이가 그린 브라질 국기에서 초록색 부분의 넓이는 몇 cm²인지 구해 보세요.

(**746 cm²**)

❖ 전체 직사각형의 넓이에서 마름모 부분의 넓이를 뺍니다.
직사각형의 넓이: $40 \times 28 = 1120$ (cm²)
마름모의 넓이: $(40-6) \times (28-6) \div 2 = 374$ (cm²)
➜ 초록색 부분의 넓이: $1120-374=746$ (cm²)

(2) 지훈이가 스웨덴 국기를 오른쪽과 같이 그렸습니다. 지훈이가 그린 스웨덴 국기에서 파란색 부분의 넓이는 몇 cm²인지 구해 보세요.

(**252 cm²**)

❖ 노란색 부분이 없다고 생각하고 파란색 부분을 붙여 보면 가로는 $24-3=21$ (cm), 세로는 $15-3=12$ (cm)인 직사각형의 넓이와 같습니다.
따라서 파란색 부분의 넓이는 $21 \times 12 = 252$ (cm²)입니다.

6. 다각형의 둘레와 넓이 · 99

단원별 기초 연산 드릴 학습서

최강 단원별 연산은 내게 맡겨라!

천재
계산박사

교과과정 바탕

교과서 주요 내용을
단원별로 세분화한 12단계 구성으로
실력에 맞는 단계부터 시작 가능!

연산 유형 마스터

원리 학습에서 계산 방법 익히고,
문제를 반복 연습하여
초등 수학 단원별 연산 완성!

재미 UP! QR 학습

딱딱하고 수동적인 연산학습은 NO!
QR 코드를 통한 〈문제 생성기〉와
〈학습 게임〉으로 재미있는 수학 공부!

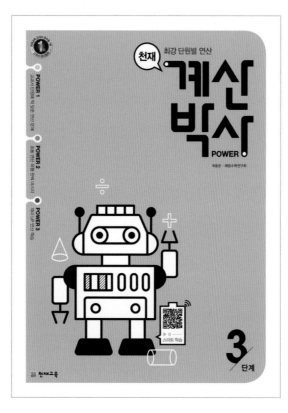

탄탄한 기초는 물론
계산력까지 확실하게!
초등 1~6학년(총 12단계)

정답은
이안에
있어 !

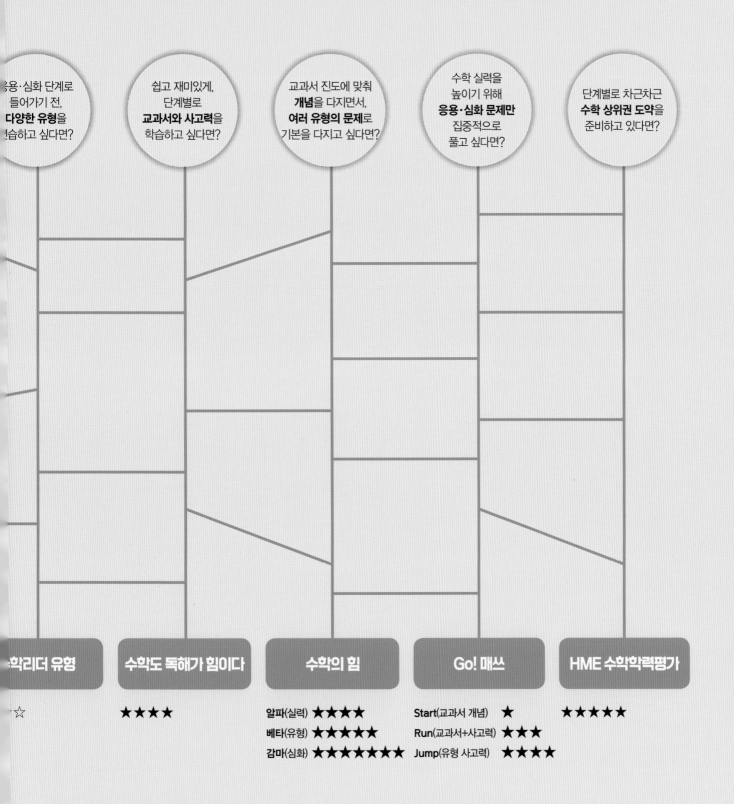

난이도 별점
쉬움 ★
보통 ★★★
어려움 ★★★★★
최상위 ★★★★★★★

응용·심화 단계로 들어가기 전, **다양한 유형을** 습하고 싶다면?

쉽고 재미있게, 단계별로 **교과서와 사고력을** 학습하고 싶다면?

교과서 진도에 맞춰 **개념을** 다지면서, **여러 유형의 문제로** 기본을 다지고 싶다면?

수학 실력을 높이기 위해 **응용·심화 문제만** 집중적으로 풀고 싶다면?

단계별로 차근차근 **수학 상위권 도약을** 준비하고 있다면?

학리더 유형 | 수학도 독해가 힘이다 | 수학의 힘 | Go! 매쓰 | HME 수학학력평가

☆

★★★★

알파(실력) ★★★★
베타(유형) ★★★★★
감마(심화) ★★★★★★★

Start(교과서 개념) ★
Run(교과서+사고력) ★★★
Jump(유형 사고력) ★★★★

★★★★★

배움으로 행복한 내일을 꿈꾸는
천재교육 커뮤니티 안내 · · · ·

 교재 안내부터 구매까지 한 번에!
천재교육 홈페이지

천재교육 홈페이지에서는 자사가 발행하는 참고서,
교과서에 대한 소개는 물론 도서 구매도 할 수 있습니다.
회원에게 지급되는 별을 모아 다양한 상품 응모에도
도전해 보세요.

 구독, 좋아요는 필수! 핵유용 정보 가득한
천재교육 유튜브 <천재TV>

신간에 대한 자세한 정보가 궁금하세요?
참고서를 어떻게 활용해야 할지 고민인가요?
공부 외 다양한 고민을 해결해 줄 채널이 필요한가요?
학생들에게 꼭 필요한 콘텐츠로 가득한 천재TV로 놀러오세요!

 다양한 교육 꿀팁에 깜짝 이벤트는 덤!
천재교육 인스타그램

천재교육의 새롭고 중요한 소식을 가장 먼저 접하고 싶다면?
천재교육 인스타그램 팔로우가 필수!
누구보다 빠르고 재미있게 천재교육의 소식을 전달합니다.
깜짝 이벤트도 수시로 진행되니 놓치지 마세요!